Industrial Revolution production 140

Effects - increase ... capit

Economic -

Social -

Urbanism

Aristotle

Darwin

Smith

Jeremiah Bentham

Lincoln Steffens

autobiography

Prather

1 act by Brooks

3 Spanish Plays

CUENTOS DE LAS ESPAÑAS

CUENTOS DE LAS ESPAÑAS

Selected and Edited by

JAIME HOMERO ARJONA

University of Connecticut

AND

CARLOS VÁZQUEZ ARJONA

formerly of the
United States Naval Academy

CHARLES SCRIBNER'S SONS · NEW YORK

Chicago · Boston · Atlanta · San Francisco · Dallas

Printed in the United States of America

A

PREFACE

The title *Rey de las Españas* once used by the kings of Spain gives us a phrase which may well suggest the rapid and complete extension of Spanish civilization to the New World and its continued presence in the countries south of the Rio Grande. *Cuentos de las Españas* is a collection of stories which have long been favorites with American students of Spanish. Coming as they do from two hemispheres, they have much to tell of Spanish and Spanish-American life and culture. To facilitate their use as an approach to the study of Hispanic literature they are accompanied by brief commentaries on their authors and by questions designed to develop literary appreciation and provoke discussion.

In adapting these stories for use at the end of the first or the beginning of the second year of Spanish, the editors have tried to present a version somewhere between the more difficult original and one so simplified as to have lost its individual flavor.

The exercises of two kinds have been prepared to help the student by asking questions which will insure a careful reading of the story, and by selecting particular words, phrases and idioms which are to be learned.

The editors here gratefully acknowledge their indebtedness to Doris King Arjona, of John B. Stetson University, DeLand, Florida, for her indispensable part in the preparation of the manuscript. Any mistakes which remain are to be charged solely to the editors.

J. H. A.
C. V. A.

CONTENTS

RICARDO PALMA

[1833–1919]

SPANISH society with all its elegance, wit and malice, transplanted to an exciting setting in the New World—that was Lima, the City of the Kings, in its early days. Viceroys, nobles, monks, rogues and delicious *limeñas* thronged its streets, each constituting a new nucleus of Old Spain. Thornton Wilder has recaptured much of the color and glitter of those days in *The Bridge of San Luis Rey.* Ricardo Palma understood them even better, for he was a *limeño* himself.

He was a lively young man, active in social, literary and political life, with a wit so keen that it infuriated his political opponents into exiling him to Chile for a time. He had always loved to read the documents dealing with the past of his city, but when he was thirty-six years old there occurred something which made him realize how precious and perishable such records were. In that year began a war between Peru and Chile. The Chileans burned his house, with its fine library, and, worse than that, they destroyed the Biblioteca Nacional, and its books were scattered to the four winds. Palma, as director of the library, devoted thirty years to reconstructing it and collecting or replacing the lost volumes.

As he read the records which the library contained, he began to retell their stories in his own sprightly way. He called his stories *tradiciones*, and they multiplied until they comprised ten series and filled six large volumes. Most of them are incidents, gossipy, malicious, sentimental, fantastic, related in a personal style full of the humor for which Spaniards have delightful words like *sal* and *gracia*, but set against historical backgrounds. Palma himself said that he took a speck of truth and built a castle on it.

EL ALACRÁN DE FRAY GÓMEZ

Cuando yo era muchacho, oía decir con frecuencia a las mujeres, cuando miraban una joya: "¡Esto vale tanto como el alacrán de fray Gómez!" Explicar por qué decían eso es lo que me propongo ahora, con esta tradición.

Nuestro héroe era un anciano que vivía en un convento franciscano del Perú. El pueblo le llamaba fray Gómez, y así le llaman también las crónicas del convento y la tradición. No sólo creía el buen hombre en todos los milagros de la Biblia y de los santos, sino que él también había hecho muchos, a juzgar por lo que se decía de él en todo el pueblo.

Una mañana meditaba en su celda, en que no había más que dos sillones de cuero, una vieja mesa rota, y una cama sin sábanas con sólo una piedra por almohada. Sintió de repente que alguien llamaba a la puerta, oyendo al mismo tiempo una voz que decía:

—¡Alabado sea Dios!

—Entra, hermano—contestó fray Gómez.

Se abrió entonces la puerta y entró en la celda un individuo humildemente vestido pero en cuyo rostro se podía leer la proverbial honradez del castellano viejo.

—Toma asiento, hermano, y dime lo que por acá te trae—le dijo fray Gómez.

---

alabar, to praise
almohada, *f.* pillow
Biblia, *f.* Bible
castellano, -a, Castilian
crónica, *f.* chronicle
cuero, leather
honradez, *f.* honesty
sábana, *f.* sheet
sillón, *m.* armchair

dime lo que por acá te trae, tell me what brings you here

—Créame, padre—empezó a decir el visitante—yo soy buena persona, a pesar de mi mala ropa.

—Bien se ve, y deseo que perseveres, pues así merecerás en esta vida la paz de la conciencia y en la otra la bienaventuranza.

—Es el caso, padre—siguió diciendo el visitante—que tengo una familia numerosa y que voy a perder mi tienda, pues soy tendero, por falta de quinientos pesos. Le juro, padre, que ni tengo vicios ni soy perezoso.

—No desesperes. A quien honradamente trabaja, Dios le ayuda.

—La verdad es, padre—interrumpió el hombre—que hasta ahora Dios no me ha oído.

—Ten fe, hijo, ten fe.

—He llegado a las casas de muchos amigos a pedirles prestado el dinero, pero todos me lo han negado. Es el caso que anoche, mientras dormía, oí en sueños una voz que me decía: "Animo, Jeromo; anda a pedirle a fray Gómez el dinero que necesitas. Si él quiere, pobre como es, hallará manera de ayudarte." Aquí, pues, estoy y a su paternidad le ruego que me preste, sólo por seis meses, los quinientos pesos que necesito para no perder mi tienda.

—¿Cómo has podido imaginarte que en esta triste celda encontrarías quinientos pesos?

—Tiene usted razón, padre. Sin embargo, tengo fe en el sueño. Algo me dice que no he venido en vano.

—Tu fe te salvará, hijo mío. Espera un momento.

Mirando entonces hacia la pared que estaba detrás del tendero, fray Gómez vió un alacrán que caminaba tranquilamente hacia la ventana. Fray Gómez sacó el

---

bienaventuranza, *f.* bliss
honradamente, honestly
perezoso, -a, lazy
visitante, *m. and f.* visitor

es el caso, the fact is
a pedirles prestado, to borrow
a su paternidad le ruego, I beg you, father

pañuelo, se acercó a la pared, cogió el animalito con cuidado, lo envolvió, y volviéndose hacia Jeromo le dijo:

—Toma, hijo, y empeña esta joya, pero no olvides devolvérmela dentro de seis meses.

Jeromo no hallaba frases con que agradecerle el favor. Poco después se hallaba en la tienda de un usurero. La joya en verdad era preciosísima, digna de una reina. Era un broche en forma de alacrán. Formaba el cuerpo una magnífica esmeralda, y la cabeza un diamante con dos rubíes por ojos.

El usurero, que era conocedor, miró la joya con envidia y ofreció inmediatamente darle a Jeromo, no quinientos, sino mil pesos por ella. El tendero, sin embargo, no quiso aceptar más que quinientos pesos por tres meses. Se hicieron y se firmaron los documentos necesarios. El usurero no dudaba de que el tendero volvería otra vez por más dinero y que al fin él se quedaría con tan preciosa joya. Pero el hombre propone y Dios dispone. Con los quinientos pesos prosperó tanto su tienda que a la terminación del plazo Jeromo pudo sacar el broche, y envuelto en el mismo pañuelo en que lo recibió fué a devolvérselo a fray Gómez. Este tomó el alacrán, lo puso en el mismo sitio en que lo había cogido y lo soltó diciéndole:—¡Animalito de Dios, sigue tu camino!

El alacrán, viéndose libre otra vez, continuó su interrumpido paseo por las paredes de la celda.

COMPREHENSION

1. ¿Qué frase se explica en esta tradición? 2. ¿Dónde vivía fray Gómez? 3. ¿Qué poder tenía? 4. ¿Qué había en su celda? 5. ¿Qué oyó una mañana? 6. ¿Quién

---

broche, *m.* brooch
conocedor, *m.* connoisseur
diamante, *m.* diamond
envidia, *f.* envy
esmeralda, *f.* emerald
rubí, *m.* ruby

se quedaría con, he would keep
lo recibió, he had received it

entró en su celda? 7. ¿Qué necesitaba el visitante? 8. ¿A quiénes había visitado antes de ir a ver a fray Gómez? ¿Con qué resultado? 9. ¿Por qué había pensado en fray Gómez? 10. ¿Qué vió el fraile en la pared de la celda? 11. ¿Qué hizo con el animalito? 12. ¿Qué debía hacer el visitante con el alacrán? 13. ¿Cuándo debía devolvérselo al fraile? 14. ¿En qué se había transformado el alacrán? 15. ¿Cuánto ofreció el usurero por él? 16. ¿Cómo pudo el tendero devolverle la joya a fray Gómez? 17. ¿Qué hizo éste al recibirla?

FOR STUDY

1. *Translate:* soy, estoy, voy, propongo, te ruego, era, dijo, hicieron, pudo, puso, quiso, siguió, lo había hecho, me ha oído, bendito, una mesa rota, envuelto en un papel, díme, sigue, ten fe, oyendo, viéndose.

2. *Translate:* a pesar de, en todas partes, sin embargo, es decir, tienes razón, por acá, por aquí, por allí, se hizo rico, no veo más que dos.

3. *Translate by an English adverb:* con frecuencia, con cuidado, con misterio, con energía, con seriedad, con envidia, con furia, con ternura, con tranquilidad.

4. *Translate:* se decía, se puede leer, se halla, bien se ve.

5. *Give the English equivalents for the following:* terminación, tradición, tranquilamente, inmediatamente, numeroso, precioso, frecuencia, familia. *What Spanish suffixes correspond to the English suffixes* -tion, -ly, -ous, -y?

ARMANDO PALACIO VALDÉS

[1853–1938]

Of all the authors whose work appears in this book, Palacio Valdés is the one who lived most serenely and uneventfully. His life, he said, was his works, and they do reflect to an unusual degree the places and people that he knew. He was born in Spain, in the northern region of Asturias; his father was a lawyer, his mother an aristocrat, and his life followed the leisurely pattern of school and university usual for a *señorito*. At first he planned to become a university professor, but he soon became interested in journalism, and with the publication of his first novel he embarked on a half century of creative writing during which he produced twenty-five novels and many short stories.

His life was not altogether a happy one. His young wife, beautifully portrayed in his novel *Maximina*, died two years after their marriage, and his only son was killed in a motorcycle accident. However he never lost his innate serenity and his ability to make the most of circumstances. "Man is a being who is constantly wanting to be in some other place," he said. "I am always contented in mine."

The books of Palacio Valdés are eloquent testimony to his enjoyment of his surroundings. They are to a considerable extent autobiographical. His childhood, spent between the mountains and the sea, is clearly mirrored in *La novela de un novelista*, and scattered through all of his books are descriptions of the types, scenes and customs of his *patria chica*. Art, he believes, need go no further than to present life as it is.

Palacio Valdés' acceptance of life has made him a universal favorite. He is natural, direct, simple. He writes about the things that the average man understands and desires: love, friendship, tranquillity. His pages evoke smiles and tears, but more smiles; a rough exterior in one of his characters usually hides a heart of gold. His optimism and the humor that pervades his work have made him a favorite with Americans: twelve of his novels have been translated into English, and there are nineteen editions of his books for classroom use. He and Ricardo Palma have much in common: both bring to their writing a lively appreciation of the color and flow of life.

POLIFEMO

El general Toledano, conocido por todos con el nombre de *Polifemo*, era un hombre de rostro feroz. Llevaba siempre levita larga, pantalón de cuadros y sombrero de alas anchas. Estatura gigantesca, paso rígido, imponente, enorme bigote negro, voz de trueno y corazón de hierro. Pero aun más que esto, infundía terror la mirada sangrienta de su ojo único. El general había perdido un ojo en la guerra de Africa luchando con los moros. Había vencido en cien combates y había dado muerte cruel a todos sus enemigos. Esto creíamos al menos ciegamente todos los chicos que al salir de la escuela íbamos a jugar al parque de San Francisco, en la muy noble y heroica ciudad de Oviedo.

Por allí solía pasear también, los días claros, de doce a

---

gigantesco, -a, gigantic
imponente, imposing
infundir, to instil
levita, *f.* frock coat
moro, *m.* Moor

pantalón de cuadros, checkered trousers
sombrero de alas anchas, broad-brimmed hat

dos de la tarde, el implacable guerrero. Desde muy lejos veíamos entre los árboles su arrogante figura, que nos hacía temblar; y aunque no le viéramos, por su voz, que llenaba todo el parque, sabíamos que se acercaba. El general era sordo también, y no podía hablar sino a gritos.

—Voy a comunicarle a usted un secreto—decía a cualquiera que le acompañase en el paseo. —Mi sobrina Jacinta no quiere casarse con el chico de Navarrete.

Y de este secreto se enteraban cuantos se hallaban a doscientos pasos.

Este hombre extraño tenía un sobrino de unos diez años, como nosotros. ¡Pobrecito! No podíamos verle en el paseo sin sentir hacia él compasión infinita. Andando el tiempo he visto a un domador introducir un cordero en la jaula de un león. Tal impresión me producía Gasparito Toledano paseando con su tío. No sabíamos cómo aquel infeliz muchacho podía conservar el apetito, y cómo no enfermaba o moría consumido por una fiebre lenta. Si pasaban algunos días sin que apareciese por el parque, la misma duda agitaba nuestros corazones. "¿Se lo habrá comido ya?" Y cuando al cabo le hallábamos sano y salvo en cualquier sitio, sentíamos sorpresa y regocijo. Pero estábamos seguros de que un día u otro concluiría por ser su víctima.

Lo extraño del caso era que Gasparito no ofrecía en su rostro aquellos signos de terror que esperábamos ver en él. Al contrario, brillaba constantemente en sus ojos una alegría cordial que nos dejaba tontos. Cuando iba con

---

cordero, *m.* lamb
domador, *m.* tamer
enfermar, to become ill
fiebre, *f.* fever
guerrero, *m.* warrior
regocijo, *m.* joy
no podía hablar sino a gritos, he could not talk except by shouting
a doscientos pasos, within a radius of two hundred feet
Andando el tiempo, In the course of time
¿se lo habrá comido ya? can he have eaten him up?
sano y salvo, safe and sound

su tío, andaba con la mayor libertad, unas veces saltando, otras corriendo, y hasta se burlaba de nosotros escondiéndose detrás de él. Todo eso nos causaba el mismo efecto de terror que si le viésemos bailar sobre la flecha de la torre de la catedral. "¡Gaspar!" El aire vibraba y transmitía aquella orden a los puntos más lejanos del paseo. Todos perdíamos el color. Sólo Gasparito escuchaba como si alguien le llamara para darle dulces. "¿Qué quieres, tío?", y venía hacia él corriendo y dando saltos.

Además de este sobrino, el general tenía un perro que debía vivir en la misma infelicidad, aunque tampoco lo parecía. Era un hermoso animal, de color azul gris, grande, vigoroso, a quien había dado el nombre de Muley, en recuerdo sin duda de algún moro muerto por él en Africa. Gracioso, amigo de jugar, pero incapaz de hacer daño a nadie, era el perro más inteligente y más tratable que jamás he conocido.

Con estas cualidades no es extraño que todos los chicos lo quisiéramos mucho. Siempre que era posible hacerlo, sin peligro de que el general lo notara, nos disputábamos el honor de darle pan, queso y hasta la leche que nuestras mamás nos daban. Muley lo aceptaba todo siempre con muestras de agradecimiento. Mas para que se vea hasta qué punto eran nobles y desinteresados sus sentimientos, diré que no mostraba más afecto a quien más le daba. Solía jugar con nosotros algunas veces un pobrecito hospiciano, llamado Andrés, que nada podía dar al perro, porque nada tenía. Pues bien, Muley sentía más cariño por el hospiciano que por todos los demás. ¿Adivinaba

---

agradecimiento, *m.* gratitude
desinteresado, -a, unselfish
flecha, *f.* weather-vane
incapaz, incapable
infelicidad, *f.* unhappiness
muestra, *f.* sign
queso, *m.* cheese
sentimiento, *m.* sentiment
tratable, sociable, docile

amigo de jugar, fond of playing
para que se vea hasta qué punto, in order to show to what extent

el animal que aquel niño huérfano, siempre silencioso y triste, necesitaba más su cariño que nosotros? No lo sé, pero así parecía.

Andresito, por su parte, había llegado a sentir una verdadera pasión por el perro. Cuando nos hallábamos jugando en lo más apartado del parque, y se presentaba allí de repente Muley, se acercaba en seguida al huérfano, y empezaba a lamerle las manos y a jugar con él. La figura colosal del general se veía a lo lejos entre los árboles.

Pero estas visitas de Muley al parque eran cortas. El huérfano, como un verdadero enamorado, ansiaba gozar de la presencia de su ídolo largo rato. Por eso, una tarde, se atrevió a llevarse el perro hasta el Hospicio, y no volvió hasta pasada una hora. Al volver, Muley y Andresito parecían satisfechísimos. Por fortuna, el general no se había ido aún del paseo ni había notado la ausencia de su perro.

Repitiéronse una tarde y otra tales visitas de Muley al Hospicio con el niño. La amistad de ambos iba creciendo. Andresito no hubiera vacilado en dar su vida por Muley. Si la ocasión se presentase, seguro estoy de que éste no haría menos.

Pero aun no estaba contento el hospiciano. En su mente nació la idea de llevarse a Muley a dormir con él. Como ayudaba al cocinero, dormía en una pieza al lado del cuarto de éste, en una cama hecha con ropa vieja. Una tarde condujo al perro al Hospicio y no volvió. ¡Qué noche sublime para el pobre niño! No había sentido en su vida otras caricias que las de Muley. Los maestros primero, el cocinero después, le habían tratado siempre mal. Perro y niño durmieron aquella noche abrazados como dos novios. Al despertarse, Andresito sintió dolor

---

ansiar, to long
caricia, *f.* caress
lamer, to lick
mente, *f.* mind
vacilar, to hesitate

en un brazo debido a un golpe que el cocinero le había dado el día anterior.

—Mira, Muley—dijo el niño al perro, quitándose la camisa y mostrándole una roncha.

El perro, más humano que el hombre, empezó a lamerle el brazo.

Luego que abrieron las puertas, lo soltó. Muley corrió a casa de su dueño; pero por la tarde ya estaba en el parque dispuesto a seguir a Andresito. Durmieron otra vez juntos aquella noche y la siguiente.

Pero la dicha es breve en este mundo. Andresito era feliz al borde de un precipicio. Una tarde, mientras estábamos todos jugando en el parque, oímos detrás de nosotros dos formidables gritos:

—¡Alto! ¡Alto!

Todas las cabezas se volvieron al instante. Frente a nosotros se alzaba la colosal figura del general Toledano.

—¿Quién es el atrevido que me roba mi perro todas las noches? ¡Vamos a ver!

Silencio sepulcral en el grupo. El terror nos había quitado la voz, estábamos rígidos, casi muertos.

—¿Quién es el pillo? ¿Quién es el bandido? ¿Quién es el ladrón?

El ojo ardiente de *Polifemo* nos devoraba uno a uno. Muley, que le acompañaba, nos miraba también y movía el rabo en señal de inquietud.

Entonces Andresito, haciendo un supremo esfuerzo, adelantó un paso, y dijo:

—Yo he sido; yo solo tengo la culpa, señor.

—¿Cómo?

—Sí, señor; he sido yo—repitió el chico en voz más alta.

---

camisa, *f.* shirt
devorar, to devour
inquietud, *f.* uneasiness
tengo la culpa, I am to blame
pillo, *m.* thief
rabo, *m.* tail
roncha, *f.* bruise

—¿Has sido tú?—dijo el general sonriendo ferozmente.—¿Y no sabes a quién pertenece este perro?

Andresito estaba pálido.

—¿No sabes de quién es?—volvió a preguntar *Polifemo* a grandes gritos.

—Sí, señor.

—¿Cómo? . . . Habla más alto.

Y se ponía la mano en la oreja para oír mejor.

—Sí, señor.

—¿De quién es?

—Del señor *Polifemo*.

Cerré los ojos. Creo que mis compañeros hicieron lo mismo. Cuando los abrí, pensé que Andresito estaría ya en el otro mundo; pero no fué así, por fortuna. El general le miraba fijamente, con más curiosidad que cólera.

—¿Y por qué te lo llevas?

—Porque es mi amigo y me quiere—dijo el niño.

Polifemo volvió a mirarle fijamente. Metió entonces la mano en un bolsillo, sacó medio duro, y dándoselo dijo:

—Toma, para dulces. ¡Pero cuidado con llevarte el perro otra vez!

Al decir esto se alejó, pero apenas había dado diez pasos cuando volvió la cabeza. Andresito había dejado caer el medio duro al suelo, y estaba llorando con las manos en la cara. El general se volvió rápidamente.

—¿Estás llorando? ¿Por qué? No llores, hijo mío. Toma, para dulces—le decía, metiéndole la moneda en las manos.

—Porque le quiero mucho . . . porque es el único que me quiere en el mundo—dijo el niño.

—¿Pues de quién eres, hijo?—preguntó *Polifemo* sorprendido.

---

cólera, *f.* anger **Habla más alto,** Talk louder

¡Pero cuidado . . . otra vez! But see that you don't carry the dog off again!

—Soy del Hospicio.

—¡Huérfano!—gritó *Polifemo.*

Acercóse al niño, le quitó las manos de la cara, le secó las lágrimas con su pañuelo, le abrazó, le besó repitiendo con ternura:

—¡Perdóname, hijo mío! No hagas caso de lo que te he dicho. . . Llévate el perro cuando quieras. . . Tenlo contigo esta noche, mañana, y pasado mañana, ¿sabes? . . . Todo el tiempo que quieras. . .

Después que le hubo calmado con estas palabras, dichas en voz que nosotros no sospechábamos en él, se fué de nuevo al paseo, volviendo otra vez la cabeza para gritarle:

—Puedes llevártelo cuando quieras, ¿sabes, hijo mío? . . . Cuando quieras. . .

Dios me perdone; pero juraría haber visto una lágrima en el ojo sangriento de *Polifemo.*

Andresito se alejaba corriendo, seguido de Muley, que ladraba lleno de gozo. . . .

COMPREHENSION

1. ¿Por qué le habían dado los chicos al general el nombre de *Polifemo?* 2. ¿Cómo había perdido el ojo? 3. ¿Cuándo solía pasear por el parque? 4. ¿Por qué hablaba en tan alta voz? 5. ¿Cómo se llamaba el sobrino del general? ¿Qué edad tenía? 6. ¿En qué se notaba que no tenía miedo a su tío? 7. ¿Cómo se llamaba el perro del general? ¿Por qué se llamaba así? 8. ¿Con quién prefería jugar el perro? 9. ¿A dónde se llevó Andresito al perro una tarde? 10. ¿Dónde dormía Andresito? 11. ¿Cuántas noches durmió con el perro? 12. ¿Qué les preguntó *Polifemo* a los niños? 13. ¿Qué le dijo Andrés? 14. ¿Qué le dió

---

calmar, to quiet
gozo, *m.* joy
ladrar, to bark
secar, to dry
No hagas caso de, Don't pay any attention to

Polifemo al niño? ¿Qué hizo éste? 15. ¿Qué le dijo el general al saber que era del Hospicio? 16. ¿Qué se le notaba al general en su único ojo?

FOR STUDY

1. *Translate:* lo sé, vamos, íbamos, veíamos, condujo, se detuvo, durmieron, hicieron, repitieron, sintió, he visto, he dicho, he sido, tenlo, para que se vea, no hagas caso, si no hubiera venido, después que le hubo calmado, diré, haría, lo habrá comido.

2. *Translate:* al instante, de repente, volví a mirarle, todas las tardes, se hallaban en la casa, de nuevo, no se atrevió a decírmelo, gozamos de la vida, se llevó la comida.

3. *Give a natural English translation:* fué lo único que me dijo, lo malo es que no la han visto, lo extraño del caso es que no le conozco, yo creo lo contrario, lo importante es el dinero, subimos a lo más alto del monte.

4. *Give the verb corresponding to each of the following nouns:* agradecimiento, alegría, baile, gozo, grito, mirada, muerte, muestra, paseo, paso, salto, sentimiento, sorpresa, vida.

EL POTRO DEL SEÑOR CURA

Muchos habrán conocido como yo al cura del pueblo de Arbín, y habrán tenido ocasión de admirar su carácter bondadoso y noble, la sencillez de sus costumbres y cierta inocencia de espíritu que sólo da Dios a los que elige para sí. Su casa estaba junto a la iglesia, a la entrada del pueblo. Tenía una criada vieja y un criado no menos anciano. Había también un perro, que nadie recordaba cuándo había nacido, y un caballo que le servía hacía más de veinte años. Como don Pedro, (tal era el nombre del cura), pasaba de los sesenta, con razón podía decirse que aquella casa era un museo de antigüedades. Vamos a referir aquí la historia del caballo, dejando para otra ocasión la del perro.

Nadie le conocía en el pueblo sino por el *potro del señor cura*. Pero como el lector comprenderá, éste no era más que un nombre que, para hacer reír, alguien le había dado al viejo animal. El autor de la burla tuvo que ser Juan de Manolín, que en aquel tiempo era el espíritu más libre y de menos vergüenza del lugar. El verdadero nombre del caballo era *Pichón*. Así le llamaba su dueño, lo mismo que los criados. Había sido tordo en otro tiempo; pero cuando yo le vi había perdido los pelos negros y ahora parecía todo blanco. No hacía mala figura; era de condición apacible, pero saltaba un poco cuando tenía que ir ligero. Por eso el cura prefería salir una hora antes en sus excursiones a los lugares apartados que debía visitar.

---

antigüedad, *f.* antique
apacible, peaceful
lector, *m.* reader
habrán conocido, must have known
sencillez, *f.* simplicity
tordo, -a, black and white

Sufrido, noble, seguro y conocedor como nadie de aquellos caminos, el *Pichón* era estimado por su amo como una joya. Hay que advertir también que, en pienso para la bestia, don Pedro no gastaba nada. El *Pichón* tenía que andar los doce meses del año por los bordes del camino buscando su alimento. Y, a pesar de todo, sus lomos estaban siempre redondos, como si se hallara de pupilo en casa de algún príncipe o marqués.

El *Pichón* poseía otra gran cualidad: una memoria prodigiosa. En cuanto el cura de Arbín se detenía una vez en cualquier casa, dentro o fuera del pueblo, al pasar de nuevo por allí, la bestia se paraba al instante como invitándole a bajar. Claro está que cuando se trataba de la casa de la hermana de don Pedro, que vivía en Felechosa, o de la casa del cura del Pino, amigo suyo, el caballo no sólo se paraba, sino que iba derecho al establo.

Mas el *Pichón*, sin motivo alguno razonable, tenía muchos enemigos en el pueblo, unos abiertos, otros ocultos. Empezaron éstos por llamarle el *potro*. ¡Bien sabía el *Pichón* que él no era potro! No satisfechos con esto, sus enemigos empezaron a calumniarlo. Decían que una vez yendo desde Lena a Cabañaquinta se había dormido en el camino llevando a su amo encima, y que fué necesario que un arriero le despertase a palos. ¡Mentira, todo mentira! Lo que había sucedido era que en casa del cura de Llanolatabla, donde su amo había estado unas siete horas, no le habían dado hierba, y, naturalmente, la debilidad le hizo caer. Además los vecinos se permitían burlas

---

alimento, *m.* food
calumniar, to slander
debilidad, *f.* weakness
pienso, *m.* feed
razonable, reasonable
sufrido, -a, long-suffering
conocedor como nadie de aquellos caminos, better acquainted than anyone with those roads
como si se hallara de pupilo, as if he were a boarder
se permitían burlas de mal género, they allowed themselves unpleasant jokes

de mal género en contra suya, y no cesaban de molestar al padre con ellas. Con todo eso don Pedro, a pesar de su paciencia, llegaba en ocasiones a irritarse. —¡Cáscaras!—decía; —¿qué les habrá hecho el pobre animal a estos diablos para que tan mal le quieran?

El que más le molestaba era Juan de Manolín. Cada vez que el cura pasaba en su caballo por delante de su taberna salía a la puerta, y mostrándose muy fino primero, tomaba la brida al animal, y terminaba por abrirle la boca, preguntando con fingida inocencia:

—¿Cuántos años tiene el potro, señor cura?

La gente de la taberna se moría de risa, y don Pedro se marchaba sin contestar, murmurando consuelos al *Pichón*.

A tal punto llegaron las burlas y risas de los vecinos, que don Pedro resolvió finalmente vender el caballo, a pesar del cariño que sentía por él. Una mañana montó muy triste en él, y paso a paso llegó a Oviedo, donde se celebraba la feria de la Ascensión. Por el camino le asaltaron mil remordimientos. La verdad era que vender al pobre *Pichón* después de veinte años de buenos servicios no era justo. ¡Quién sabe como le trataría su nuevo dueño! Quizá iría a morir miserablemente en una plaza de toros. La inocencia y la buena fe con que el caballo caminaba, causaban en su amo un sentimiento de vergüenza que no podía reprimir.

En la feria el ganado estaba muy barato. El *Pichón* era tan viejo, que nadie lo quería. Sólo un gitano ofreció por él quince duros. El cura se lo vendió al fin por este

---

brida, *f.* bridle
consuelo, *m.* consolation
fingido, -a, feigned
reprimir, to repress
sentimiento, *m.* feeling

en contra suya, against him
¿qué les habrá hecho . . . tan mal le quieran?, what can the poor animal have done to these devils to make them dislike him so?
Por el camino . . . remordimientos, On the way over he was overcome by remorse

precio. El mismo día tomó el tren para volver a su pueblo, y cuando llegó todos le felicitaron por lo que había hecho, aunque él sentía secretamente que no había sido una buena acción. A los pocos días, sin embargo, se había olvidado por completo del negocio.

Aunque don Pedro era hombre de buena salud, como tenía que visitar de vez en cuando puntos lejanos y no le gustaba andar, pronto sintió que necesitaba otro caballo. Decidió, pues, ir a comprar uno a la feria de León, donde acudía casi todo el ganado de la provincia. Dicho y hecho. Cuando llegó la época, montado en la mula de un arriero amigo suyo, salió para León. Allí sucedía lo contrario que en Oviedo. Las bestias estaban caras. Por menos de cuarenta duros no había modo de comprar caballo que sirviese. Por cuarenta y tres compró al fin un caballo alazán, no muy vivo de genio pero, según el vendedor, joven, fuerte y manso.

Montado en él empezó al día siguiente la vuelta a su pueblo. Caminaba despacio, muy alegre y satisfecho de su compra, porque el animal bajaba y subía bien aquellas largas cuestas, y sobre todo, porque no se espantaba, cosa que era la que más temía. Pero al llegar a mitad del camino sucedióle un caso que le maravilló en extremo. Y fué que apenas había bajado para ir un instante a casa de su hermana, cuando el caballo sin ser guiado por nadie, se fué derecho al establo.

Detúvose allí don Pedro un rato, y calculando la distancia que le faltaba, comprendió que era imposible parar también en el Pino para tomar una taza de café con el cura

---

compra, *f.* purchase
felicitar, to congratulate
maravillar, to surprise
taza, *f.* cup
vivo de genio, spirited

Dicho y hecho, No sooner said than done
no había modo . . . que sirviese, it was impossible to buy a horse that would do

del lugar. Mas al llegar allí recibió una nueva sorpresa. El caballo se resistía a seguir por el camino de Arbín. Don Pedro, abandonándole la brida, no tardó en ver que el animal buscaba el camino de la casa del cura, no parando hasta llegar al establo.

—¡Formidable, cáscaras, formidable!—murmuró el cura abriendo mucho los ojos.

Y en honor a aquel maravilloso instinto de su bestia don Pedro bajó a saludar a su amigo.

Cuando llegó a Arbín era ya de noche, por lo cual nadie pudo admirar el hermoso e inteligente caballo que había comprado. Pero al día siguiente algunos vecinos se presentaron en su casa y después de ver el animal le felicitaron.

—¡Ese es el caballo que usted necesitaba, señor cura!

—Hizo bien en echar de casa aquel viejo *Pichón* que de nada servía y que comía por tres.

El cura se sentía alegre con la alegría de los vecinos mientras estaba con ellos, pero cuando se quedaba solo se ponía triste.

Pasaron varios días sin que don Pedro tuviera necesidad de ir a ninguna parte. Una mañana, sin embargo, mandó al criado que limpiara su nuevo caballo, pues pensaba ir a Mieres. Al cabo de media hora el criado se presentó diciéndole:

—¿Sabe, señor cura, que el *León* (así se llamaba el caballo) tiene unas manchas blancas que no le puedo quitar?

—Sigue limpiándolo, muchacho; ya las perderá.

Pero a pesar de sus esfuerzos el criado no veía desaparecer las manchas.

—Convéncete, Manuel—le dijo el cura por fin—que ya no tienes puños. Vas a ver ahora cómo yo se las quito.

---

que de nada servía, who was good for nothing
sin que don Pedro tuviese necesidad de ir a ninguna parte, without don Pedro's having to go anywhere

Y quitándose la sotana y subiéndose las mangas de la camisa, tomó el cepillo y él mismo empezó a limpiar el caballo; pero las manchas no sólo no desaparecían, sino que se hacían cada vez mayores.

—A ver, trae ahora agua caliente y jabón—le dijo al criado.

Pero ¡qué sorpresa le esperaba! Mientras más lavaba al animal más roja se ponía el agua, y las manchas blancas del caballo se extendieron de tal modo que casi le cubrían todo el cuerpo.

En resumen: tanto le limpiaron, que al fin de una hora había desaparecido el alazán, quedando en su lugar un caballo blanco. Manuel se echó atrás, y con la consternación pintada en el rostro, exclamó:

—¡Así Dios me mate si no es el *Pichón*!

En efecto, debajo de la capa de almazarrón que le habían puesto se encontraba el viejo, el paciente, el calumniado *Pichón*.

La noticia corrió como fuego por todo el pueblo. Al poco rato una porción de gente se reunía delante de la casa de don Pedro, y contemplaba entre risas y burlas el *potro*, que ya el criado había sacado del establo. Pero cuando más divertidos estaban, apareció en la puerta el cura, y les dijo con voz ronca y rostro muy severo:

—Yo lo merezco, ¡cáscaras!, por haber hecho caso de unos tontos como vosotros . . . ¡Al que vuelva a hablarme de ese caballo una palabra más le rompo los huesos!

---

almazarrón, *m.* red ochre
calumniar, to slander
camisa, *f.* shirt
capa, *f.* coat
cepillo, *m.* brush
manga, *f.* sleeve
porción, *f.* number
ronco, -a, hoarse
sotana, *f.* cassock

se echó atrás, drew back
¡Así Dios me mate!, May God strike me dead!
por haber hecho caso de, for having paid attention to
¡Al que vuelva a hablarme. . . los huesos! I'll break the bones of anyone who mentions him to me again!

Comprendiendo que tenía razón para enfadarse, los vecinos no le respondieron y se volvieron en paz a sus casas, pero sin poder contener la risa cuando pensaban en la broma.

COMPREHENSION

Supply the noun necessary to complete correctly each of the following sentences: 1. El ____ de Arbín era bondadoso y noble. 2. Su ____ era muy sufrido. 3. El *Pichón* poseía una ____ prodigiosa. 4. Sin embargo tenía muchos ____ en el pueblo. 5. Por eso el ____ decidió venderlo en el mercado. 6. Un ____ se lo compró por quince duros. 7. El cura volvió a casa en el ____. 8. Pronto compró otro caballo por cuarenta y tres ____. 9. Volvía a su pueblo muy satisfecho de su ____. 10. Al llegar a la casa de su hermana, vió que el caballo se fué derecho al ____. 11. Cuando llegaron al Pino el caballo se fué derecho a la casa del ____. 12. A los pocos días don Pedro mandó a su ____ que limpiara al caballo. 13. El criado no pudo quitarle unas ____ blancas. 14. El cura se subió las mangas de la ____. 15. Le mandó al criado que trajera ____ y ____. 16. El tampoco tuvo ____. 17. El caballo resultó ser el ____. 18. El cura les dijo a todos que les rompería los ____ si hablaban más del *Pichón.*

FOR STUDY

1. *Translate:* le eligieron, tuvo un hijo, detúvose, la habrán hecho, dicho y hecho, yendo.

2. *Translate:* por eso te quiero, se trataba de un viaje, al fin llegaste, hay que advertir, pensaban ir allí, en efecto, no tardó en terminarlo, no tiene más que tres años, me siento alegre, se puso pálida.

3. *Translate:* a los pocos días, al poco rato, a pocos pasos.

---

broma, *f.* joke   **enfadarse,** to get angry

4. *For each word in section* a *select a synonym from section* b:

a. alimento, anciano, apartado, bestia, caminar, dueño, molestar, paciente, pararse, resolver.

b. amo, andar, animal, comida, decidir, detenerse, irritar, lejano, sufrido, viejo.

For discussion (after reading *Polifemo* and *El potro del señor cura*)

What have you learned about the life of a Spanish priest and his relations with his flock? Which character in the two stories is most interesting? Do you see him through the eyes of the author or through those of another character? Does the author idealize him? Does he idealize any character in either story? How does Palacio Valdés treat animals? Are Muley and *el Pichón* handled in the same way? Does Palacio Valdés remind you of any American author? What motion picture actors would be good for the parts of *Polifemo*, Andrés, the *cura?*

CARMEN LYRA

[1888–

CARMEN LYRA is the pen name of María Isabel Carvajal, whose home and heart are in Costa Rica. In her little book (published in 1920) called *Cuentos de mi tía Panchita* she tells many of the stories which appear not only in Costa Rican folklore but in that of many other American countries, including our own. The tía Panchita who relates these tales is a little old woman who makes sugar figures of people and animals and sells them in the market. The people and animals in her stories are fantastic too. Uncle Rabbit plays tricks on Aunt Cockroach, Uncle Tiger and Brother Alligator. Death has to stay up in a grapevine until its owner gives him permission to descend. Witches hold strange and uproarious social gatherings. The conversation of these characters is full of the proverbs and picturesque turns of popular speech.

This story, like *El alacrán de fray Gómez*, explains a phrase, in this case *salir con un domingo siete*, which means "to speak out of turn."

CUENTO DE MI TÍA PANCHITA

Había una vez en cierto pueblo dos vecinos, uno rico y otro pobre. Cada uno de ellos tenía un güecho. El rico era muy duro de corazón y no daba a nadie ni sal para un huevo. El pobre era un alma de Dios.

---

güecho, *m.* goitre
ni (siquiera), not even
alma de Dios, simple, inoffensive person

El pobre iba todos los viernes al monte a cortar leña, que luego vendía en la ciudad cuando estaba seca. Uno de esos viernes se perdió en la montaña y le cogió la noche sin poder hallar la salida. Cansado de caminar y temiendo a las fieras del bosque, resolvió subir a un árbol para pasar en él la noche. Ató al tronco el burro que le ayudaba en su trabajo, y luego subió a las ramas más altas.

Después de un rato vió que no lejos de allí había una luz, y bajando entonces del árbol empezó a caminar hacia ella. Cada vez que dejaba de ver la luz subía a otro árbol, hasta que volvía a encontrarla. Por fin vió una gran casa iluminada; parecía como si en ella estuvieran celebrando una gran fiesta. Se oía música, canto y risa. El hombre ató el burro a un árbol y siguió acercándose.

La fiesta no era en las habitaciones que estaban a la entrada de la casa sino en el interior. Sin hacer ruido subió la escalera, entró en la casa, y se escondió detrás de una puerta, desde donde empezó a mirar todo lo que allí pasaba. La gran sala estaba llena de brujas viejas y feas que bailaban y saltaban como los monos y cantaban sin cesar:

Lunes y martes y miércoles
tres.

Las horas pasaban y las brujas seguían bailando y cantando su eterna canción:

Lunes y martes y miércoles
tres.

Cansado nuestro pobre hombre de oír siempre las mismas palabras, y no pudiendo tolerar más el sonsonete, gritó para que le oyeran:

—¡Jueves y viernes y sábado
seis!

---

leña, *f.* firewood
mono, *m.* monkey
dejaba de ver, failed to see
volvía a encontrarla, found it again
sonsonete, *m.* singsong

Las brujas dejaron de bailar, sorprendidas al oír aquella extraña voz.

—¿Quién ha cantado?—preguntó una.

—¿Quién ha hallado tan linda rima a nuestra canción? —decía otra.

—¡Qué verso más hermoso! ¡Quien ha cantado así merece un premio!—añadió la tercera.

Todas principiaron a buscar, y por fin hallaron a nuestro pobre hombre, que estaba temblando detrás de la puerta.

¡Sí, señor! Estaban tan contentas con él que no sabían dónde ponerle. Unas le levantaban en el aire, otras le bajaban, y todas le besaban y abrazaban.

—Vamos a cortarle ahora ese feo güecho que tiene en la garganta—propuso una.

Todas respondieron:—¡Sí, sí!

Y aunque el pobre hombre no quería que lo hicieran, se lo cortaron sin que sintiera el menor dolor. En verdad le hicieron un gran favor. Luego sacaron del cuarto de sus tesoros muchos sacos llenos de oro y se los dieron en pago de haberles completado el canto.

El hombre tomó los sacos, los puso sobre su burro, y salió por donde las brujas le dijeron. Mientras se alejaba, él las oía cantar:

Lunes y martes y miércoles
tres.
Jueves y viernes y sábado
seis.

Sin dificultad llegó a su casita, donde su mujer y sus hijos le esperaban muy asustados porque temían que le hubiera sucedido algo. Contó entonces su aventura a

---

dejaron de bailar, stopped dancing
¡Qué verso más hermoso! What a beautiful line!
sin que sintiera el menor dolor, without his feeling the least pain

todos, y dijo a su mujer que fuera a casa del vecino rico y le pidiera el cuartillo con que medía siempre los granos que compraba. Ella fué y dijo a la mujer del vecino rico, que estaba sola en casa:

—Amiga, ¿quiere prestarme el cuartillo? Quiero medir unos frijoles que cogimos ayer en nuestro terreno.

La mujer del rico se puso a pensar, y dijo en su interior: "¿Quién sabe mejor que yo que esos dos miserables no tienen ningún terreno en que sembrar?" Sin embargo, le prestó el cuartillo, pero puso cola en el fondo para averiguar qué iban a medir sus vecinos. Estos sacaron de los sacos tantos cuartillos de oro que hasta perdieron la cuenta. Al devolver el cuartillo a sus dueños, no notaron que en el fondo habían quedado pegados algunos granos de oro.

La vecina rica, que era mala persona y que no podía tolerar que los pobres dejaran de ser pobres, en seguida fué a buscar a su marido. Le enseñó el fondo del cuartillo, donde aun se veían los granos de oro que habían quedado pegados, le contó el caso, y le mandó buscar al vecino pobre. Fué a verle en seguida.

—Amigo—le dijo—¿de dónde le ha venido el tesoro?

El vecino pobre, que era un hombre que no mentía, le contó su aventura de principio a fin sin añadir ni quitar nada. Entonces el rico resolvió ir también a la montaña. El viernes siguiente, antes de amanecer, salía con cinco mulas a cortar leña. Cuando cayó la noche, entró más en la montaña y se perdió. Siguiendo el ejemplo del otro subió a un árbol, y viendo la misma luz que el primero había visto, se fué hacia ella.

Llegó por fin a la casa de las brujas y se escondió tam-

---

cola, *f.* glue
cuartillo, *m.* measure (fourth of a peck)
en su interior, to herself
dejaran de ser pobres, should cease to be poor
frijol, *m.* kidney bean
sembrar, to sow

bién detrás de una puerta. Las brujas, bailando y saltando, cantaban muy alegres:

Lunes y martes y miércoles
tres.
Jueves y viernes y sábado
seis.

El vecino rico, que no pensaba más que en la suerte que el pobre había tenido, sin esperar la repetición del canto, gritó desde su puerta:

—¡Y domingo, siete!

Jamás habían sentido tanta furia aquellas brujas.

—¿Quién se ha atrevido a dañar nuestra canción?

—¿Quién ha salido con ese "domingo siete"?

Empezaron a buscar por todas partes, mostrando los dientes como los perros cuando van a morder. Por fin hallaron a su hombre temblando y espantado detrás de la puerta donde se había escondido. No comprendía por qué estaban tan enfadadas con él.

—¡Ahora vas a ver, hombre miserable!—exclamó una que fué corriendo hacia el interior.

Volviendo al instante con una bola de carne en las manos, que era el güecho que habían cortado al otro, se lo tiró al pescuezo. El güecho quedó tan bien pegado en la nuca del infeliz que parecía haber nacido con él. Entonces las brujas bajaron la escalera, quitaron a las cinco mulas las cargas de leña, y las soltaron en el monte.

Al amanecer llegó el hombre rico a su casa sin las mulas, con dos güechos en vez de uno, y con dolores por todo el cuerpo. Su mujer, al oírle contar todo lo que le había pasado con las brujas, no pudo contener la risa, y con aire burlón le dijo:

—¡Así castiga el cielo, marido mío, a los que envidian la dicha ajena!

---

bola, *f.* ball
enfadado, -a, angry, furious
nuca, *f.* nape of the neck
pescuezo, *m.* neck

COMPREHENSION

Complete correctly each of the following sentences: 1. Uno de los vecinos era rico, el otro ____. 2. El pobre iba al monte todos los ____. 3. Una noche se perdió y subió a un ____. 4. Desde el árbol vió una ____. 5. Siguiendo la luz llegó a una gran ____. 6. Unas brujas bailaban y cantaban: "Lunes y martes y miércoles ____." 7. El hombre añadió: "Jueves y viernes y sábado ____." 8. En pago de la rima las brujas le dieron mucho ____. 9. El viernes siguiente el vecino rico se fué al ____. 10. Llegó a la misma casa y se escondió detrás de una ____. 11. Añadió a la canción de las brujas las palabras: "Y domingo ____." 12. Una bruja le tiró el güecho cortado a su ____. 13. El infeliz llegó a casa con dolores por todo el ____. 14. Su mujer le dijo que había sido castigado por el ____.

FOR STUDY

1. *Give the infinitive:* iba, vió, estuvieran, pudiendo, oyeran, vamos, sintiera, dieron, puso, dijeron, hubiera, pidiera, cayó, pudo, había visto.

2. *Translate:* una vez, seguían bailando, por fin, en seguida, se puso a pensar, para que le oyeran, al verle, por todas partes, dos en vez de uno.

3. *For each word in section* a *select an antonym from section* b:

a. acercarse, añadir, bajar, comprar, hermoso, perder, principio, rico, salida, salir.

b. alejarse, encontrar, entrada, entrar, feo, fin, pobre, quitar, subir, vender.

For discussion (after reading *Cuento de mi tía Panchita*)

What elements of this story often appear in fairy tales? Is there anything that makes it different? What author of the United States has written animal stories whose characters are similar to those of Carmen Lyra?

VICENTE BLASCO IBÁÑEZ

[1867–1928]

BLASCO IBÁÑEZ had a tumultuous life. He was law student, journalist, deputy. Being a violent liberal, he took part in conspiracies, street fighting, duels; at the age of eighteen he had already been jailed, and he spent the end of his life in an exile brought on by his opposition to the dictatorship of Primo de Rivera and to the king, against whom he showered leaflets from the sky. He travelled in Italy, America, around the world. He was the guest of the Sultan of Turkey. He lost and regained three or four fortunes.

His energy, love of drama, sensitiveness to light and color, make his writing strong and vivid. With one or two touches he flashes before his reader scenes that give the illusion of reality. His books are almost as vivid as moving pictures; in fact some of them, notably *Blood and Sand* and *The Four Horsemen of the Apocalypse*, have been successfully transferred to the screen.

Blasco Ibáñez dedicated much of his talent to one cause, to the cause of the underdog, the man whose struggle for life was hard and of uncertain outcome. He began by writing about the poor people who lived among the orange groves and by the sea in his native region of Valencia. *La barraca*, which belongs to that period, is the finest of his novels. As time went on he laid the scenes of his work in other parts of Spain, then in America, and finally, with the coming of the first World War, he wrote the war stories which made him famous and wealthy, although as literature they were inferior to the work which he had done at the beginning of his career. He appears through all his work as a person of strong passions and sympathies.

GOLPE DOBLE

Al llegar a su barraca, vió Sento un papel debajo de la puerta . . .

Era un anónimo en que le amenazaban. Le pedían cuarenta duros y debía dejarlos aquella noche en el horno que tenía frente a su barraca.

Toda la huerta estaba asustada por aquellos bandidos. Los que se negaban a obedecer tales demandas, veían sus campos consumidos por el fuego, y hasta podían despertar a medianoche sin tiempo apenas para huir de la techumbre de paja de sus barracas, que se venía abajo entre llamas.

Gafarró, que era el mozo más fuerte y más valiente de la huerta de Ruzafa, juró descubrirlos, y se pasaba las noches escondido, con la escopeta al brazo, velándolos. Una mañana, sin embargo, le encontraron muerto en una acequia, lleno de balas.

Hasta los periódicos de Valencia hablaban de lo que sucedía en la huerta. Al anochecer se cerraban las barracas y reinaba un pánico egoísta, buscando cada cual su salvación, sin pensar nadie en el vecino. Entretanto, Batiste, el alcalde de aquel distrito, prometía al gobierno de Valencia, a que pertenecía la huerta, que él y su fiel alguacil, Sigró, se bastaban para acabar con aquella calamidad. A pesar de esto, Sento no pensaba acudir al

---

acequia, *f.* ditch
alguacil, *m.* bailiff
egoísta, selfish
paja, *f.* straw, thatch
techumbre, *f.* roof

Los que se negaban, Those who refused
hasta podían despertar, might even wake up

alcalde. ¿Para qué? No quería oír vanas promesas y mentiras.

Lo cierto era que los ladrones exigían cuarenta duros, y si no los dejaba en el horno, le quemarían su barraca, aquella querida barraca que miraba ya como un hijo próximo a perderse. Sento había construído sus blanquísimas paredes, sus ventanas azules, su negro techo de paja coronado por una cruz; había cubierto la puerta con una verde parra, por la que entraban los rayos del sol como lluvia de oro, y había hecho también un gran horno de tierra y de ladrillos, redondo, como un huevo. Aquello era toda su fortuna, el nido que guardaba lo más amado; su mujer, los tres chiquillos, el par de viejos caballos, fieles compañeros en la diaria lucha por el pan, y la vaca blanca que iba por las calles despertando a la gente con su cencerro y dejándoles la leche de la mañana.

¡Cuánto había tenido que trabajar en aquellos campos que sus abuelos le habían dejado, para juntar los pocos duros que guardaba en una lata enterrados bajo la tierra! ¡No iban a sacarle cuarenta duros tan fácilmente! . . . Era un hombre pacífico; toda la huerta podía responder por él. Nunca reñía con nadie, ni visitaba la taberna, ni llevaba escopeta cuando salía. Trabajar mucho para su Pepeta y los tres chiquillos era su único deseo; pero ya que querían robarle, sabría defenderse.

Como se acercaba la noche y nada tenía resuelto, fué a pedir consejo al viejo de la barraca vecina, un débil anciano, pero de quien se decía que en la juventud había dado muerte a más de dos.

---

cencerro, *m.* cow-bell
coronar, to crown
ladrillo, *m.* brick
lluvia, *f.* rain
nido, *f.* nest
parra, *f.* grape-vine

lo cierto era, the fact was
lo más amado, what he loved most
nada tenía resuelto, he had made no decision

El viejo le escuchó con los ojos fijos en un grueso cigarro que estaba haciendo. Hacía bien en no querer soltar el dinero. El hombre que quiere robar debe hacerlo en el camino, cara a cara, exponiendo la vida, y no como un cobarde. Pasaba ya de los sesenta, pero cuando se trataba de defender lo suyo, sentía la fuerza y el valor de la juventud. Sento se sentía dominado por las palabras del anciano. Ahora más que nunca se creía capaz de todo para defender el pan de sus hijos.

El viejo entró en su barraca y sacó con gran reverencia la joya de la casa: una enorme escopeta, que besaba como si fuera una hija. La limpió, la cargó con mucho cuidado, y la entregó a Sento, dándole instrucciones para que no errara el golpe, puesto que era escopeta de sólo un tiro. Cuando sintiese a alguien acercarse, levantaría la escopeta, apuntaría con calma a la boca del horno, y cuando el ladrón llegara, ¡hacer fuego! Nada más sencillo . . .

Aquella noche dijo Sento a su mujer que esperaba turno para regar y toda la familia le creyó. Por consejo del maestro, se tendió en el suelo entre unas plantas a la sombra de la barraca. La pesada escopeta descansaba entre sus brazos, apuntando fijamente a la boca del horno. No podía perder el tiro.

Sento creyó que estaba solo, que en toda la immensa huerta, estremecida por la brisa, no había más hombres que él y *aquéllos* que iban a llegar. ¡Ojalá no viniesen! Lo que sentía no era frío, sino miedo. ¿Qué diría el viejo si estuviera allí? Sus pies tocaban la barraca, y al pensar que tras aquella pared de barro dormían Pepeta y los

---

apuntar, to aim
barro, *m.* clay
brisa, *f.* breeze
cobarde, coward
estremecer, to shake
grueso, -a, thick
regar, to irrigate, water
¡hacer fuego!, fire!

Pasaba ya de los sesenta, He was over sixty
para que no errara el golpe, that he might not miss the mark
¡Ojalá no viniesen! If only they wouldn't come!

chiquillos, sin otra defensa que sus brazos, el pobre hombre se sintió otra vez fiera.

De repente vibró el espacio. Era el gran reloj de la catedral de Valencia que daba las nueve. Oíase el ruido de un carro rodando por un remoto camino. Ladraban los perros de corral en corral, cantaban las ranas su ronco *rac-rac* en la vecina acequia, y las ratas corrían y saltaban cerca del horno. Sento contaba las horas que iban sonando en la catedral. Era lo único que interrumpía el tedio de la espera. ¡Las once! ¿No vendrían ya? ¿Les habría tocado Dios en el corazón?

Las ranas callaron. Por el camino venían dos cosas obscuras que a Sento le parecieron dos perros enormes. Eran, sin embargo, dos hombres que avanzaban encorvados, casi de rodillas.

—Ya están ahí—murmuró; y sus piernas empezaron a temblar.

Los dos hombres miraban a todos lados, como temiendo una sorpresa. Se acercaron a la puerta de la barraca, pegando el oído a la puerta, y pasando dos veces cerca de Sento, sin que éste pudiera conocerlos, pues llevaban cubierto el rostro. ¿Serían éstos los mismos que asesinaron a Gafarró? Ya iban hacia el horno. Uno de ellos se inclinó, metiendo las manos en la boca. ¡Magnífico tiro! Pero ¿y el otro que quedaría libre?

El pobre Sento comenzó a sentir en la frente un sudor frío. Matando a uno, quedaría desarmado ante el otro. Pero sería peor si los dejaba ir sin encontrar el dinero, porque se vengarían quemándole la barraca.

---

asesinar, to murder
carro, *m.* wagon
encorvado, -a, stooped
ladrar, to bark
rana, *f.* frog
rodar, to roll
sudor, *m.* perspiration
vengarse, to avenge oneself

sin que éste pudiera conocerlos, without his being able to recognize them
¿y el otro? how about the other?

Por fin el que estaba velando se cansó de esperar y fué a ayudar a su compañero en la busca. Los dos formaban un obscuro bulto frente a la boca del horno. Aquélla era la ocasión. ¡Alma, Sento! ¡Fuego!

El tiro resonó por toda la huerta, y al instante se oyó una tempestad de gritos y ladridos. Sento sintió en la cara el calor de la explosión. La escopeta había caído al suelo y él agitó las manos para convencerse de que estaban enteras. Estaba seguro que no había errado el tiro. Cuando se dirigía al horno, se abrió la puerta de la barraca y salió Pepeta con una luz. La había despertado la detonación y salía, más muerta que viva, temiendo por su marido.

La luz roja de su linterna llegó hasta la boca del horno cayendo sobre dos hombres que había en el suelo, uno sobre otro. El golpe de la vieja escopeta había sido doble.

Y cuando Sento y Pepeta bajaron la luz para verles la cara, su sorpresa fué mayor aún que el miedo que sentían . . .

Eran el alcalde, Batiste, y su alguacil, Sigró.

COMPREHENSION

Supply the noun necessary to complete correctly each of the following sentences: 1. Sento encontró un ____ debajo de la puerta. 2. Le decía que dejara cuarenta duros en el ____. 3. Los que se negaban a tales demandas perdían sus ____. 4. Los ____ de Valencia hablaban de lo que pasaba. 5. El ____ Batiste prometía acabar con tales cosas. 6. Sento fué a pedir consejo a un ____. 7. El viejo le dió una ____. 8. Sento se tendió en el ____, apuntando a la boca del horno. 9. El reloj de la ____ daba las once. 10. De repente Sento vió dos hombres

---

bulto, *m.* mass
ladrido, *m.* barking
linterna, *f.* lantern

que parecían ____. 11. Uno de ellos metió las ____ en el horno. 12. Sento esperó hasta que su ____ llegara a ayudarle. 13. Entonces disparó, y el tiro resonó por toda la ____. 14. Pepeta salió de la barraca con una ____ en la mano. 15. Sento vió que había matado a ____ y a ____.

FOR STUDY

1. *Translate:* iban, veían, creyó, fué, oyó, sintió, vió, ¿qué diría?, habría venido, sabría defenderse, caído, cubierto, hecho, resuelto, ¿qué diría el viejo si estuviera aquí?, le quiero como si fuera mi hijo, ¡ojalá no viniesen!

2. *Translate:* sin embargo, a pesar del frío, había tres sillas, por fin llegó, se negó a ayudarme, me siento capaz de todo, todas las mañanas, de repente, pensaban hacer el viaje, se trataba de una lección.

3. *Give a natural English translation:* ¿serán éstos los mismos?, ¿se lo habrá comido ya?, ¿qué tendrá mi mujer?, ¿quién será?

4. *For each Spanish word in* a *select an English cognate from* b:

a. angustia, anónimo, bandido, brisa, capaz, cobarde, construir, coronar, encorvado, entero, jurar, negar, obedecer, promesa, resonar, temblar, vengar.

b. resound, obey, juror, curved, construct, capacity, bandit, anguish, avenge, anonymous, breeze, coward, coronation, entire, negative, promise, tremble.

EL PARÁSITO DEL TREN

—Sí—dijo el amigo Pérez a todos sus compañeros en el café; —en este periódico acabo de leer la noticia de la muerte de un amigo. Sólo le vi una vez, y sin embargo le he recordado en muchas ocasiones. ¡Pobre hombre!

Le conocí una noche viniendo a Madrid en el tren correo de Valencia. Iba yo en un coche de primera. En Albacete bajó el único viajero que me acompañaba, y como yo había dormido mal la noche anterior, sentí gran alegría al ver que quedaba solo y que podía ahora estirarme en el asiento. ¡Todo para mí!

Cubrí la lámpara con mi pañuelo para que la luz no me molestara, me tendí de espaldas, estirando las piernas cuanto pude, y me dispuse a dormir durante todo el viaje.

El tren iba a toda velocidad atravesando los campos de la Mancha, áridos y desiertos. Mi coche gemía y temblaba como una vieja diligencia. Temblaban los cristales de las ventanillas, saltaban las maletas puestas en la red, chirriaban las ruedas en los rieles . . . pero a pesar de todo el ruido me dormí.

Una fuerte impresión de frescura volvió a despertarme sin embargo. Sentí en la cara como un golpe de agua fría. Al abrir los ojos vi el departamento solo; la portezuela de enfrente estaba cerrada. Pero sentí de nuevo el viento frío de la noche, y al levantarme vi que la otra portezuela, la que estaba detrás de mi cabeza, estaba completamente abierta, y que había un hombre sentado en el

---

chirriar, squeaking
diligencia, *f.* stagecoach
estirarse, to stretch out
frescura, *f.* coolness
gemir, to groan
lámpara, *f.* lamp
red, *f.* net
riel, *m.* rail

me tendí de espaldas, I lay down on my back

umbral, con los pies fuera, mirándome con ojos que brillaban mucho en su cara obscura.

La sorpresa no me dejaba pensar. Estaba confundido y aún medio dormido. En el primer momento sentí cierto terror supersticioso. Aquel hombre que se aparecía allí yendo el tren a toda velocidad no podía ser un pasajero. Recordé al instante los robos, los asesinatos de que había leído, y pensé que estaba solo, y sin un timbre para llamar a los demás. Aquel hombre era seguramente un ladrón.

El instinto de defensa me dió valor. Me arrojé sobre el desconocido, luché con él, con el objeto de arrojarlo a la vía. Todas las ventajas estaban de mi parte.

—¡Por Dios, señorito!—gimió por fin con voz triste.—¡Señorito, déjeme usted! Soy un hombre de bien.

Había tal expresión de humildad y angustia en sus palabras, que sentí verdadera vergüenza y le solté. Se sentó otra vez en el umbral de la portezuela, mientras yo quedaba en pie, bajo la lámpara, a la cual ya yo había quitado el pañuelo. Entonces pude verle.

Era un pobre diablo cuyo vestido consistía en una chaqueta rota, pantalones azules y una gorra chocolate que casi se confundía con el color de su rostro. Me miraba como un perro a quien uno ha salvado la vida, mientras sus obscuras manos parecían buscar algo en los bolsillos. Esto casi me hizo arrepentir de mi generosidad, y mientras él buscaba, yo ponía la mano sobre mi revólver. ¡Si creía cogerme . . . !

Al fin sacó algo de un bolsillo, y yo le imité sacando mi revólver. Pero lo que él había sacado no era arma ofen-

---

asesinato, *m.* murder
chaqueta, *f.* jacket
defensa, *f.* self-defense
gorra, *f.* cap
humildad, *f.* humility
robo, *m.* robbery
umbral, *m.* threshold
ventaja, *f.* advantage
hombre de bien, honest man
¡Si creía cogerme . . . ! If he expected to catch me . . . !

siva sino un viejo billete de tren que me mostró con satisfacción.

—Yo también llevo billete, señorito.

Lo miré y no pude menos de reírme.

—¡Pero ese billete no vale; es antiguo!—le dije. —¿Y con esto te crees autorizado para asaltar el tren y asustar a los viajeros?

Al verse descubierto, se puso triste, creyendo sin duda que esta vez yo le arrojaría a la vía por haber mentido. Sentí compasión y quise mostrarme bondadoso y alegre, para ocultar los efectos de la sorpresa, que aun duraban en mí.

—Vamos, acaba de subir. Cierra la portezuela y siéntate dentro.

—No, señor—me dijo. —Yo no tengo derecho a ir dentro como un señorito. Aquí, y gracias, pues no tengo dinero.

Yo estaba sentado junto a él, mis rodillas no lejos de su espalda. El tren corría a toda velocidad y el viento frío del invierno entraba en el departamento como un huracán. Los postes telegráficos al pasar parecían líneas blancas sobre el fondo negro de la noche. De vez en cuando brillaban, cual enormes luciérnagas, los carbones encendidos que arrojaba la locomotora. El pobre hombre estaba intranquilo, dudando que le dejara permanecer en aquel sitio. Pero poco a poco fué perdiendo el miedo y después que le di un cigarro empezó a hablar.

Todos los sábados hacía el viaje del mismo modo. Esperaba el tren a su salida de Albacete, saltaba a una portezuela, con peligro de muerte; y examinaba desde fuera todos los vagones buscando un departamento vacío.

---

asaltar, to hold up
carbón, *m.* cinder
intranquilo, -a, uneasy
locomotora, *f.* locomotive
luciérnaga, *f.* firefly

no pude menos de reírme, I couldn't help laughing
acaba de subir, hurry and get in

En las estaciones se bajaba poco antes de la llegada y volvía a subir después de la salida, cambiando siempre de sitio para no ser visto por los empleados, todos enemigos de los pobres.

—Pero ¿adónde vas?—le pregunté. —¿Por qué haces este viaje, poniendo tu vida en tal peligro?

Iba a pasar el domingo con su familia. ¡Cosas de pobres! El trabajaba en Albacete y su mujer servía en el pueblo. El hambre los había separado. Al principio hacía el viaje a pie; toda una noche de marcha, y cuando llegaba a la casa por la mañana caía en la cama sin fuerzas, sin ganas de hablar con su mujer ni de jugar con los chicos. Pero ahora era distinto; ya no tenía miedo, y hacía el viaje por tren. Ver a sus hijos le daba ánimo para trabajar con más afán toda la semana. Tenía tres: el pequeño era así, no levantaba dos pies del suelo, y sin embargo, le reconocía, y al verle entrar le echaba los brazos al cuello.

—Pero mira—le dije—¿no piensas que en cualquiera de estos viajes tus hijos van a quedarse sin padre?

El sonreía con la satisfacción de quien sabe bien su negocio. El tren no le asustaba. Era ágil y sereno; un salto, y arriba; y en cuanto a bajar, podría recibir algunos golpes, pero lo importante era no caer bajo las ruedas. No, no le asustaba el tren, sino los que iban dentro. Buscaba los coches de primera, porque en ellos encontraba departamentos vacíos. ¡Qué de aventuras! Una vez entró sin saberlo en un departamento de señoras; dos que iban dentro gritaron: «¡Ladrones!», y él, asustado, se arrojó del tren y tuvo que hacer a pie el resto del viaje.

¡Cosas de pobres! That's the way with poor people!
no levantaba dos pies del suelo, was not two feet tall
¡Qué de aventuras! What experiences!

Dos veces había estado próximo, como aquella noche, a ser arrojado a la vía por los que despertaban asustados por su presencia. Buscando en otra ocasión un departamento obscuro, tropezó con un viajero que, sin decir palabra, le dió tal golpe que al caer fuera del tren creyó morir. Sí, le trataban mal, pero él no se quejaba. Aquellos señores tenían razón para asustarse y defenderse. Comprendía que merecía aquello y algo más; pero ¡qué remedio, si no tenía dinero y deseaba ver a sus hijos!

El tren iba limitando su marcha, como si se aproximara a una estación. El, alarmado, se levantó.

—Quédate—le dije; —aun falta otra estación para llegar a tu pueblo. Te pagaré el billete.

—No, señor—respondió. —El empleado, al dar el billete, se fijaría en mí. Muchas veces me han perseguido, sin conseguir verme de cerca, y no quiero que me tomen la descripción. ¡Feliz viaje, señorito! Es usted la persona más bondadosa del mundo.

En un segundo dió un salto y se perdió en la obscuridad, buscando sin duda otro sitio donde continuar el viaje tranquilamente.

Paramos en una estación pequeña y silenciosa. Iba a tenderme otra vez para dormir, cuando oí voces. Eran los empleados, los mozos de la estación y cuatro guardias que corrían en distintas direcciones, como cercando a alguien.

—¡Por aquí! . . . ¡Cortadle el paso! . . . Dos por el otro lado para que no se escape . . . Ahora ha subido sobre el tren . . . ¡Seguidle!

Y, en efecto, al poco rato los vagones temblaban bajo

---

cercar, to surround **obscuridad,** *f.* darkness

había estado próximo . . . a ser arrojado, he had been on the point of being thrown

aun falta otra estación, one more station

¡Cortadle el paso! Head him off!

el galope furioso de los guardias y empleados que corrían sobre el tren. Era, sin duda, el *amigo* a quien habían sorprendido, el cual viéndose cercado se subía a lo más alto del tren.

Estaba yo fumando en una ventanilla de la parte opuesta a la estación cuando le vi saltar a tierra desde la techumbre de un vagón. Cayó boca abajo, se arrastró algunos instantes, como si la violencia del golpe no le permitiera levantarse, y al fin se irguió y huyó a todo correr. El jefe del tren corría y gritaba como un loco, pero los mozos se reían.

—¿Qué pasa?—pregunté a un empleado fingiendo no saber nada.

—Un tío que tiene la costumbre de viajar sin billete—contestó con énfasis. —Le conocemos hace tiempo; es un parásito del tren, pero ya le cogeremos.

No volví a ver al pobre parásito. En el invierno, muchas veces me he acordado del infeliz, imaginándole en las afueras de una estación, castigado por la lluvia y el viento frío; esperando el tren que pasa para saltar dentro con la serenidad del valiente que toma una trinchera.

Ahora leo que en la vía férrea, cerca de Albacete, se ha encontrado el cadáver de un hombre hecho pedazos por el tren . . . Es él, el pobre parásito. No necesito saber más para creerlo; me lo dice el corazón. "Quien ama el peligro en él perece." Tal vez le faltó esa vez la destreza. Tal vez algún viajero, asustado por su aparición, fué menos cristiano que yo y le arrojó bajo las ruedas. ¡La noche guardará siempre el secreto de su muerte!

---

afueras, *f. pl.* outskirts
destreza, *f.* agility
erguirse, to rise
fumar, to smoke
galope, *m.* galloping
perecer, to perish
techumbre, *f.* roof
trinchera, *f.* trench

se **subía a lo más alto,** was climbing to the top
con énfasis, emphatically
vía férrea, railroad track

—Desde que le conocí—terminó diciendo el amigo Pérez —han pasado cuatro años. En este tiempo he corrido mucho, y viendo cómo viaja la gente sin objeto, o por mero placer, más de una vez he pensado en el pobre parásito y en las ironías del destino.

COMPREHENSION

Supply the noun necessary to complete correctly each of the following sentences: 1. Iba a Madrid en el ____. 2. Sentí gran ____ al verme solo. 3. Cubrí la ____ y traté de dormirme. 4. Una sensación de ____ me despertó. 5. Vi que una ____ estaba abierta. 6. Había un ____ sentado en el umbral. 7. Traté de arrojarle a la ____. 8. Sacó del ____ un billete antiguo. 9. Me dijo que todos los ____ hacía el mismo viaje. 10. Siempre buscaba un ____ vacío. 11. Hacía el viaje para pasar el domingo con su ____. 12. Si hacía el viaje a pie, no podía jugar con los ____. 13. El tren se acercaba a una ____. 14. El ____ desapareció. 15. Saltó del tren y cayó ____ abajo. 16. Me he acordado muchas veces del pobre ____. 17. Acabo de leer en este ____ la noticia de su muerte.

FOR STUDY

1. *Translate:* cayó, creyó, dió, dispuse, hizo, huyó, se irguió, oí, pude, puso, quise, tuvo, puesto, roto, visto, podría, creyendo, viendo, viniendo, yendo, vamos, para que vaya.

2. *Translate:* todos los sábados, se tendió en la cama, no había vasos, tienen razón, entró en el cuarto, ya no le veo, acabo de verla, venga por aquí, ni siquiera uno, llegó a pie.

3. *Translate:* de ese modo, del mismo modo, de tal modo, del modo más sencillo.

---

mero, -a, mere

4. *Select from* b *the word explained by each definition in* a:

a. 1. la frase con que se despide al viajero 2. por ella entra el viajero 3. en ella pone el viajero su maleta 4. en él se sienta el viajero 5. por ellos mira el paisaje 6. en ella baja.

b. asiento, cristales, estación, ¡feliz viaje!, portezuela, red.

For discussion (after reading *Golpe doble* and *El parásito del tren*):

What do you learn from *Golpe doble* about the details of rural life in Valencia? What do you learn from *El parásito del tren* about railway travel in Spain? In what ways do the main characters of the two stories resemble each other? What is their attitude toward society? Judging from the four stories that you have read, how do Palacio Valdés and Blasco Ibáñez differ in the way they feel about life? Which one do you think is right? Which one is the humorist? Why?

PEDRO ANTONIO DE ALARCÓN

[1833–1891]

ALARCÓN was born in a little town set among the olive groves and vineyards of Andalusia and full of relics of the Spanish past. It boasted of an old cathedral, a Moorish fortress and stones inscribed by the Romans and Phoenicians. Certain other things that the child saw at home stirred his imagination even more. His grandfather had been an alderman, and the family had preserved his sword, his cape and his three-cornered hat.

Alarcón was a high-spirited, rebellious youth. To escape entering the priesthood, for which his family had destined him, he ran away from home. He joined a society made up of young rebels like himself, became editor of an anticlerical paper, *El Látigo*, and took part in a duel which he survived, providentially, he thought, because his adversary fired into the air.

The turning point in Alarcón's career was the African war, which began when he was twenty-six. He found in the campaign adventure, glory and wealth; he saw exotic lands; he was decorated and redecorated for bravery; he sent home from the front articles later gathered into a book called *Diario de un testigo de la guerra de Africa*, which made him almost $90,000 dollars. He became a well-known figure. He went into politics. He was elected to the Spanish Academy. He became so used to success that he could not tolerate reverses. In his later years, angered by the unfavorable reception of one of his novels, he threw down his pen for good.

There is a similarity between the temperaments of Alarcón and Blasco Ibáñez. Alarcón, like Blasco Ibáñez, excelled in the vivid portrayal of a highly colored Spain; like Blasco Ibáñez he had a gift for lively narrative which reached its most perfect expression in the picaresque charm of his novelette *El sombrero de tres picos*. He was at his best in his novelettes (*El capitán Veneno* is another which has been read by generations of American students) and in his short stories, especially those of the collection called *Historietas nacionales*. In the picturesque people of southern Spain whom he depicts one sees the blood of the conquistadores, who came from the same region. Old uncle Buscabeatas brings to his little problem the same originality and vigor by which his ancestors carved out a new world.

EL LIBRO TALONARIO

La acción comienza en Rota. Rota es la más pequeña de aquellas lindas poblaciones que forman el gran semicírculo de la bahía de Cádiz; pero a pesar de ser la menor, el gran duque de Osuna la prefirió y se fué a vivir en ella, construyendo allí su famoso castillo que yo podría describir piedra por piedra. . . Pero no se trata aquí de castillos ni de duques, sino de los campos que rodean a Rota y de un humildísimo hortelano, a quien llamaremos el tío *Buscabeatas*, aunque no era éste su verdadero nombre.

De los fértiles campos de Rota, particularmente de las huertas, salen las frutas y legumbres que llenan los mercados de Huelva y de Sevilla. La calidad de sus tomates y calabazas es tal que en Andalucía siempre llaman a los

---

bahía, *f.* bay

no se trata aquí, here it is not a question

roteños *calabaceros* y *tomateros*, nombres que ellos aceptan con orgullo.

Y, a la verdad, razón tienen para sentir orgullo; pues es el caso que aquella tierra de Rota que tanto produce, es decir, la tierra de las huertas, aquella tierra que da tres o cuatro cosechas al año, no es tierra, sino arena pura y limpia, salida del océano, soplada por los furiosos vientos del Oeste y esparcida así sobre toda la región roteña.

Pero la ingratitud de la naturaleza está allí más que compensada por la constante laboriosidad del hombre. Yo no conozco, ni creo que haya en el mundo, labrador que trabaje tanto como el roteño. Ni siquiera un pequeño arroyo corre por aquellos melancólicos campos. . . ¿Qué importa? ¡El calabacero ha hecho muchos pozos de donde saca el precioso líquido que sirve de sangre a sus legumbres! ¡El tomatero pasa la mitad de su vida buscando substancias que puedan servir de abono! Cuando tiene ambos elementos, el agua y el abono, el hortelano de Rota empieza a fertilizar pequeñísimos trozos de terreno, y en cada uno de ellos siembra un grano de tomate o una pepita de calabaza, que riega luego a mano, como quien da de beber a un niño.

Desde entonces hasta la cosecha, cuida diariamente una por una las plantas que allí nacen, tratándolas con un cariño

---

arena, *f.* sand
arroyo, *m.* stream
calabacero, *m.* pumpkin-grower
esparcir, to scatter
grano, *m.* seed
laboriosidad, *f.* diligence
labrador, *m.* laborer
pepita, *f.* seed
pozo, *m.* well
regar, to water
sembrar, to sow
tomatero, *m.* tomato-grower
trozo, *m.* plot (of ground)

ni creo que haya en el mundo, nor, to my mind, is there the world over
que sirve de sangre, that is the life blood
que puedan servir de abono, that may be used as fertilizer
como quien da de beber a un niño, like a person who gives water to a child

sólo comparable al de los padres por los hijos. Un día le añade a tal planta un poco de abono; otro le echa un jarro de agua; hoy mata los insectos que se comen las hojas; mañana cubre con cañas y hojas secas las que no pueden resistir los rayos del sol o las que están demasiado expuestas a los vientos del mar. Un día cuenta los tallos, las flores y hasta los frutos de las más precoces; otro día les habla, las acaricia, las besa, las bendice y hasta les pone expresivos nombres para distinguirlas e individualizarlas en su imaginación.

Sin exagerar; es ya un proverbio (y lo he oído repetir muchas veces en Rota) que el hortelano de aquel país *toca por lo menos cuarenta veces al día con su propia mano cada planta de tomates que nace en su huerta.* Y así se explica que los hortelanos de aquella localidad lleguen a quedarse encorvados hasta tal punto, que sus rodillas casi le tocan la barba. . .

Pues bien; el tío *Buscabeatas* era uno de estos hortelanos. Principiaba a encorvarse en la época del suceso que voy a referir. Tenía ya sesenta años . . . y había pasado cuarenta labrando una huerta próxima a la playa.

Aquel año había criado allí unas enormes calabazas que ya principiaban a ponerse amarillas, lo cual quería decir que era el mes de junio. Conocíalas perfectamente el tío *Buscabeatas* por la forma, por su color y hasta por el nombre, sobre todo las cuarenta más gordas y amarillas, que ya estaban diciendo *guisadme.*

—¡Pronto tendremos que separarnos!—les decía con ternura mientras las miraba melancólicamente.

---

acariciar, to caress
caña, *f.* reed
labrar, to till
playa, *f.* shore
precoz, precocious

así se explica . . . casi le tocan la barba, that explains why the gardener of that region is so bent over that his knees almost touch his chin

Al fin, una tarde se resolvió al sacrificio y pronunció la terrible sentencia.

—Mañana—dijo—cortaré estas cuarenta y las llevaré al mercado de Cádiz. ¡Feliz quien se las coma!

Se marchó luego a su casa con paso lento y pasó la noche con las angustias de un padre que va a casar una hija al día siguiente.

¡Pobres calabazas mías!—suspiraba a veces sin poder dormirse. Pero luego reflexionaba, y concluía por decir:

—Y ¿qué he de hacer, sino venderlas? ¡Para eso las he criado! ¡Valdrán lo menos quince duros!

Figúrese, pues, cuál sería su asombro, cuánta su furia y cuál su desesperación, cuando, al ir a la mañana siguiente a la huerta, halló que, durante la noche, le habían robado las cuarenta calabazas. Púsose a calcular fríamente, y comprendió que sus calabazas no podían estar en Rota, donde sería imposible venderlas sin peligro de que él las reconociese.

—¡Como si lo viera, están en Cádiz!—se dijo de repente. —El ladrón que me las robó anoche a las nueve o a las diez se ha escapado en el *barco de la carga*. . . . ¡Yo saldré para Cádiz hoy por la mañana en el *barco de la hora*, y allí cogeré al ladrón y recobraré a las hijas de mi trabajo!

Así diciendo, permaneció todavía unos veinte minutos en el lugar de la catástrofe, contando las calabazas que faltaban, hasta que, a eso de las ocho, partió con dirección al muelle.

Ya estaba dispuesto para salir el *barco de la hora*, pequeña embarcación que conduce pasajeros a Cádiz todas las mañanas a las nueve, así como el *barco de la carga* sale todas las noches a las doce, llevando frutas y legumbres.

---

desesperación, *f.* despair **reflexionar,** to reflect
embarcación, *f.* sailboat

¿qué he de hacer, sino venderlas? what can I do but sell them?
partió con dirección al muelle, he left for the wharf

Llámase *barco de la hora* el primero, porque en una hora, y a veces en menos tiempo, cruza las tres leguas que hay entre Rota y Cádiz.

Eran, pues, las diez y media de la mañana cuando aquel día se paraba el tío *Buscabeatas* delante de un puesto de verduras del mercado de Cádiz, y le decía a un policía que iba con él:

—¡Estas son mis calabazas! ¡Coja usted a ese hombre! Y señalaba al vendedor.

—¡Cogerme a mí!—contestó éste, lleno de sorpresa.—Estas calabazas son mías: yo las he comprado. . .

—Eso podrá usted decírselo al juez—contestó el tío *Buscabeatas*.

—¡Que no!

—¡Que sí!

—¡Tío ladrón!

—¡Tío tunante!

—¡Hablen ustedes con más educación! ¡Los hombres no deben insultarse de esa manera!—dijo con mucha calma el policía, dando un puñetazo en el pecho a cada uno.

En esto ya se habían acercado algunas personas, y entre ellas estaba el jefe bajo cuya autoridad están los mercados públicos. Informado el jefe de todo lo que pasaba, preguntó al vendedor con majestuoso acento:

—¿A quién le ha comprado usted esas calabazas?

—Al tío Fulano, vecino de Rota . . . —respondió el vendedor.

—¡Ese había de ser!—gritó el tío *Buscabeatas*.—¡Cuando

---

educación, *f.* breeding
juez, *m.* judge
legua, *f.* league
puñetazo, *m.* punch
verdura, *f.* vegetables

¡Que no! ¡Que sí! No, indeed! Yes, indeed!
¡Tío ladrón! ¡Tío tunante! You old thief! You old scoundrel!
¡Ese había de ser! He *would* be the one!

su huerta, que es muy mala, le produce poco, roba en la del vecino!

—Pero, suponiendo que a usted le hayan robado anoche cuarenta calabazas—dijo el jefe, dirigiéndose al hortelano,—¿cómo sabe usted que éstas, y no otras, son las suyas?

—¡Vamos!—replicó el tío *Buscabeatas.* —¡Porque las conozco como conocerá usted a sus hijas, si las tiene! ¿No ve usted que las he criado? Mire usted: ésta se llama *Rebolanda;* ésta, *Cachigordeta;* ésta, *Barrigona;* ésta, *Coloradilla;* ésta, *Manuela* . . . , porque se parecía mucho a mi hija menor. . . .

Y el pobre viejo se echó a llorar como un niño.

—Todo eso está muy bien—dijo el jefe; —pero la ley no se contenta con que usted reconozca sus calabazas. Es necesario que usted las identifique con pruebas indisputables. . . Señores, no hay que sonreírse. . . ¡Yo soy abogado!

—¡Pues verá usted qué pronto le pruebo yo a todo el mundo, sin moverme de aquí, que esas calabazas se han criado en mi huerta!—dijo el tío *Buscabeatas.*

Y echando al suelo un saco que llevaba en la mano, se arrodilló y empezó a desatarlo tranquilamente. La curiosidad de todos los que le rodeaban era grande.

—¿Qué va a sacar de ahí?—se preguntaban todos.

Al mismo tiempo llegó otra persona a ver qué pasaba en aquel grupo, y al verla el vendedor exclamó:

—¡Me alegro de que llegue usted, tío Fulano! Este hombre dice que las calabazas que me vendió usted anoche son robadas. Conteste usted. . .

---

abogado, *m.* lawyer
Barrigona, *f.* "Paunchy"
Cachigordeta, *f.* "Fat cheeks"
Coloradilla, *f.* "Ruddy"
desatar, to untie
identificar, to identify
Rebolanda, *f.* "Fatty"

tío Fulano, Mr. So and So

El recién llegado se puso más amarillo que la cera, y trató de irse, pero los demás se lo impidieron, y el mismo jefe le mandó quedarse.

En cuanto al tío *Buscabeatas*, ya se había encarado con el supuesto ladrón diciéndole:

—¡Ahora verá usted lo que es bueno!

El tío Fulano, recobrando su sangre fría, le replicó:

—Usted es quien ha de ver lo que habla; porque, si no prueba su acusación, como no podrá hacerlo, irá a la cárcel. Estas calabazas eran mías; yo las he criado, como todas las que he traído este año a Cádiz, en mi huerta, y nadie podrá probarme lo contrario.

—¡Ahora verá usted!—repitió el tío *Buscabeatas*, acabando de desatar el saco.

Rodaron entonces por el suelo una multitud de tallos verdes, mientras que el viejo hortelano, sentado sobre sus pies, hablaba así al pueblo allí reunido:

—Caballeros: ¿no han pagado ustedes nunca contribución? ¿Y no han visto aquel libro verde que tiene el recaudador, de donde va cortando recibos, dejando siempre pegado en el libro un pedazo para poder luego probar si tal recibo es falso o no lo es?

—Lo que usted dice se llama el *libro talonario*,—dijo gravemente el jefe.

—Pues eso es lo que yo traigo aquí: el *libro talonario* de mi huerta, o sea los tallos a que estaban unidas estas calabazas antes de que me las robara ese ladrón. Y, si no, miren ustedes. Este tallo es de esta calabaza. . . Nadie puede dudarlo. . . Este otro . . . ya lo están ustedes

---

cera, *f.* wax
contribución, *f.* tax
desatar, to untie
encararse con, to face
recaudador, *m.* tax-collector

le mandó quedarse, ordered him to stay
Usted es . . . lo que habla, You are the one who should be careful about what you say
o sea, that is

viendo . . . es de ésta otra. . . Este más ancho . . . es de aquélla. . . ¡Justamente! Y éste de ésta. . . Ese, de ésa. . .

Y mientras que hablaba, iba pegando el tallo a las calabazas, una por una. Los espectadores veían con asombro que, efectivamente, los tallos correspondían exactamente a aquellas calabazas, y entusiasmados por tan extraña prueba todos se pusieron a ayudar al tío *Buscabeatas* exclamando:

—¡Nada! ¡Nada! ¡No hay duda! ¡Miren ustedes! Este es de aquí. . . Ese es de ahí. . . Aquélla es de éste. . . Esta es de aquél. . .

Las carcajadas de los hombres se unían a los silbidos de los chicos, a los insultos de las mujeres, a las lágrimas de triunfo y de alegría del viejo hortelano y a los empujones que los policías daban al convicto ladrón.

Excusado es decir que además de ir a la cárcel, el ladrón tuvo que devolver los quince duros que había recibido al vendedor, y que éste se los entregó al tío *Buscabeatas*, el cual se marchó a Rota contentísimo, diciendo por el camino:

—¡Qué hermosas estaban en el mercado! He debido traerme a *Manuela*, para comérmela esta noche y guardar las pepitas.

COMPREHENSION

1. ¿Dónde está Rota? 2. ¿Cómo es la tierra de Rota? 3. ¿Quién era el tío *Buscabeatas?* 4. ¿Cuántos años tenía? 5. ¿De qué color eran sus calabazas? 6. ¿Cuántas calabazas pensaba vender? 7. ¿Qué encontró cuando fué a la huerta a cortarlas? 8. ¿Cómo sabía que no estaban en Rota? 9. ¿Dónde tenían que estar? 10.

---

convicto, -a, convicted
efectivamente, really
empujón, *m.* shove
espectador, *m.* spectator
pepita, *f.* seed
silbido, *m.* hiss

¿Cuánto tiempo permaneció en la huerta? 11. ¿A qué hora llegó a Cádiz? 12. ¿Dónde vió sus calabazas? 13. ¿Qué le dijo el vendedor? 14. ¿Qué les dijo el policía a los dos? 15. ¿Qué otro oficial llegó? 16. ¿Cómo sabía el tío Buscabeatas que las calabazas eran suyas? 17. ¿Cómo se llama un libro de que se cortan recibos? 18. ¿Qué llevaba el tío *Buscabeatas* en un saco? 19. ¿Cómo probó que las calabazas eran suyas? 20. ¿A dónde llevaron al ladrón?

FOR STUDY

1. *Give the infinitive of:* bendice, comienza, conozco, cuenta, prueba, riega, siembra.

Translate: da, hay, he de hacer, traigo, impidieron, prefirió, dispuesto, expuesto, supuesto, podrá, saldré, tendremos, construyendo, me alegro de que llegue, no creo que haya ladrones, coja a ese hombre, es posible que las reconozca, quiero que las identifique.

2. *Translate:* es decir, ni siquiera, no hay que creerlo, sobre todo, se parece al padre, a veces, trató de irse, sirve de ejemplo.

3. *Translate:* quien trabaja sus males espanta, busco con quien hablar, él fué quien me vendió el billete, no hay quien lo haga, feliz quien se las coma.

4. *Give the meaning of the following nouns:* caballero, calabacero, conquistador, domador, espectador, guerrero, labrador, recaudador, tendero, tomatero, usurero, vendedor, viajero. *What do the Spanish suffixes* -ero *and* -dor *indicate here? To what English suffixes do they correspond?*

LA BUENAVENTURA

I

No sé qué día de agosto del año 1816, llegó a las puertas del palacio del Conde del Montijo cierto grotesco gitano, llamado Heredia, montado en un viejo burro, sin silla y con sólo una soga atada al pescuezo del animal. El gitano quería ver de todos modos al Conde del Montijo, que era entonces el Capitán General de la provincia de Granada.

Excusado es decir que tal deseo provocó inmediatamente la burla y las risas de los guardas; pero cuando lo supo el Capitán General, hombre jovial, y de muy buen humor, dió orden que le dejasen entrar, pues sabía que Heredia era célebre por sus chistes y por su amor a lo ajeno.

Entró el gitano en el despacho del Conde, dando dos pasos adelante y uno atrás, que era como andaba en las circunstancias graves, y arrodillándose, exclamó:

—¡Viva María Santísima y viva su Excelencia, que es el amo de todo el mundo!

—Levántate; no finjas, y dime a qué has venido—respondió el Conde.

Heredia se puso serio, y sin vacilar dijo:

—Pues, señor, vengo a que me dé los mil reales.

—¿Qué mil reales?

—Los mil reales ofrecidos hace días, por el gobierno, al que presente las señas de *Parrón*.

---

chiste, *m.* joke
pescuezo, *m.* neck
vacilar, to hesitate

de todos modos, without fail
por su amor a lo ajeno, for his love of other people's property
dime a qué has venido, tell me what you have come for
vengo a que me dé, I come to have you give me

—¡Pues qué! ¿Tú lo conocías?

—No, señor; pero lo conozco ahora.

—¡Cómo!

—Es muy sencillo. Lo he buscado; lo he visto; traigo las señas, y pido lo ofrecido.

—¿Estás seguro de que lo has visto?—exclamó el Capitán General con gran interés.

El gitano se echó a reir y respondió:

—¡Es claro! Su Excelencia dirá: "Este gitano es como todos, y quiere engañarme." ¡No me perdone Dios si miento! Ayer vi a *Parrón.*

—Pero, ¿sabes tú la importancia de lo que dices? ¿Sabes que hace tres años que buscamos a ese monstruo, a ese bandido sanguinario a quien nadie conoce ni ha podido ver nunca? ¿Sabes que todos los días roba, en distintos puntos de esta sierra, a los pasajeros, y después los asesina; pues dice que los muertos no hablan, y que ése es el único medio de que nunca le encuentre la Justicia? ¿Sabes, en fin, que ver a *Parrón* es encontrarse con la muerte?

El gitano volvió a reírse y dijo:

—¿Y no sabe su Excelencia que lo que no puede hacer un gitano, no hay quien lo haga sobre la tierra? ¿Sabe nadie cuando nuestra risa o nuestras lágrimas son verdad? ¿Tiene su Excelencia noticia de alguna zorra que sepa tantas picardías como nosotros? Repito, señor Conde, que no sólo he visto a *Parrón*, sino que he hablado con él.

—¿Dónde?

—En el camino de Tózar.

—Dame pruebas de ello.

---

monstruo, *m.* monster
sanguinario, -a, blood-thirsty
picardía, *f.* trick
zorra, *f.* fox

pido lo ofrecido, I ask for the reward
ése es el único medio . . . la Justicia, that is the only way to keep the law from finding him

—Escuche su Excelencia. Ayer hizo ocho días que caímos mi borrico y yo en poder de unos ladrones. Me ataron las manos y los pies, me metieron por unos montes del demonio y por fin llegaron conmigo a una plazoleta donde vivían todos los bandidos. Una cruel sospecha me dominaba. "¿Será ésta la gente de *Parrón?*" me preguntaba a cada instante. "¡Entonces no hay remedio! ¡Me matan! . . .; pues ese bandido se ha empeñado en que ningunos ojos que vean su rostro vuelvan a ver nada más."

Estaba yo pensando en tales cosas, cuando se me presentó un hombre muy bien vestido, y tocándome al hombro con mucha gracia, me dijo:

—Amigo, ¡yo soy *Parrón!*

Oír esto, y caerme de espaldas, todo fué una misma cosa. El bandido se echó a reír.

Me levanté pálido y frío como un muerto; me arrodillé, y haciendo un supremo esfuerzo, exclamé en todos los tonos de voz que pude inventar:

—¡Bendita sea tu alma, rey de los hombres! . . . ¿Quién no había de conocerte por ese cuerpo de príncipe real que Dios te ha dado? ¡Jesús! ¡Deja que te dé un abrazo, hijo mío! ¡Que en mal hora muera, si no tenía ganas de encontrarte para decirte la buenaventura y darte un beso en esa mano de emperador! ¡También soy yo de los tuyos! ¿Quieres que te enseñe a cambiar burros muertos por burros vivos? ¿Quieres vender como potros tus

---

borrico, *m. dim. of* **burro,** donkey **plazoleta,** *f.* clearing

Ayer hizo ocho días, A week ago yesterday

ese bandido se ha empeñado . . . a ver nada más, that bandit has made up his mind that no eyes that see his face shall ever see anything else.

¡Deja que te dé un abrazo! Let me embrace you!

¡Que en mal hora muera . . . ! May Heaven strike me dead!

¡También soy yo de los tuyos! I too am one of you!

caballos viejos? ¿Quieres que le enseñe el francés a una mula?

El Conde no pudo contener la risa. . . Luego preguntó:

—Y ¿qué respondió *Parrón* a todo eso? ¿Qué hizo?

—Lo que hace su Excelencia ahora: reírse.

—¿Y tú?

—Yo, señor, me reía también; pero sin poder contener las lágrimas.

—Continúa.

—*Parrón* en seguida me dió la mano, y me dijo:

—Amigo, es usted el único hombre de talento que ha caído en mi poder. Todos los demás tienen la mala costumbre de procurar entristecerme, de llorar, de quejarse y de hacer otras tonterías que me dan mal humor. Sólo usted me ha hecho reír; y si no fuera por esas lágrimas que le veo en la cara. . .

—¡Señor! ¡Son lágrimas de alegría!

—Lo creo. ¡Bien sabe el demonio que es la primera vez que me he reído desde hace seis u ocho años! Verdad es que tampoco he llorado. . . Pero acabemos. ¡Eh, muchachos!

Al decir *Parrón* estas palabras me vi rodeado de no sé cuántas escopetas.

— Jesús me ampare!—empecé a gritar.

—¡Un momento!—dijo *Parrón* a los bandidos. —No se trata de eso *todavía*. Os llamo para preguntaros qué le habéis quitado a este hombre.

—Un burro que no sirve para nada.

—¿Y dinero?

—Tres duros y siete reales.

—Pues dejadnos solos.

---

amparar, to protect
entristecer, to sadden
tontería, *f.* silly thing
que me dan mal humor, that annoy me
No se trata de eso todavía, It is not a question of that *yet*

Todos se alejaron.

—Ahora dime la buenaventura—dijo el ladrón tendiéndome la mano.

Yo se la cogí; medité un momento; comprendí que había que hablar formalmente, y le dije con toda seriedad:

—*Parrón*, tarde o temprano, aunque me quites la vida, o me la dejes. . . ¡morirás ahorcado!

—Eso ya lo sabía yo. . . —respondió el bandido con entera tranquilidad. —Dime cuándo.

Me puse a pensar: "Este hombre va a perdonarme; mañana llego a Granada y aviso a la policía; pasado mañana lo cogen. . . Después pasará el caso a la corte. . ."

—Me preguntas ¿cuándo?—le respondí en alta voz. —Pues ¡mira! va a ser el mes que viene.

Parrón me miró ferozmente, y yo temblé, viendo que por desear ser profeta podría perder la vida.

—Pues mira tú, gitano. . . ¡si en todo el mes que entra no me ahorcan, te ahorco yo a ti, tan cierto como ahorcaron a mi padre! Si muero para esa fecha quedarás libre.

—¡Muchas gracias!—dije yo en mi interior. —¡Me perdona . . . después de muerto!

Y me arrepentí de haber dicho un mes en vez de tres o cuatro.

Parrón montó entonces en su caballo y se perdió en el bosque. Yo fuí conducido a una caverna, donde me dejaron encerrado.

—¡Ya comprendo! . . . —exclamó el Capitán General. —*Parrón* ha muerto; tú has quedado libre, y por eso sabes sus señas.

—¡Todo lo contrario, señor Conde! *Parrón* vive, y aquí entra lo más negro de la historia.

---

arrepentirse, to repent
profeta, *m.* prophet
en mi interior, to myself
dime la buenaventura, tell me my fortune
seriedad, *f.* earnestness

COMPREHENSION

Complete correctly the following sentences: 1. Un gitano llegó al palacio del ____. 2. El gitano se llamaba ____. 3. Venía a darle al conde las señas de ____. 4. ____ era un bandido que mataba a todos los que robaba. 5. Heredia y su ____ cayeron en su poder. 6. El gitano le dijo a ____ que iba a morir dentro de un mes. 7. Después de oír la buenaventura ____ se marchó. 8. Los ____ encerraron al gitano en una caverna.

FOR STUDY

1. *Give the infinitive of:* miento, muero, repito, sirve, viene.

Translate: la conozco, lo sé, no hay remedio, bendito seas, empecé, puse, ha muerto, dirá, dime, deja que te dé un abrazo, no finjas, si no fuera por esas lágrimas, no hay quien lo haga, que no lo sepa.

2. *Translate:* por fin, se echó a reír, en fin, me puse a pensar, cuando lo supo, el mes que viene, me encontré con ella, lo reconocí en seguida, no tengo ganas.

3. *Translate:* hace media hora, hace días, hace tres años, ayer hizo ocho días.

4. *Give synonyms for the following:* asesinar, camarada, célebre, continuar, desear, desgraciado, grave, empezar, interrogar, meditar, pararse, rostro, sierra.

LA BUENAVENTURA

II

Pasaron ocho días sin que *Parrón* volviera a verme. No había parecido por allí desde la tarde que le dije la buenaventura; cosa nada extraña, según lo que me contó uno de mis guardianes.

—Sepa usted—me dijo—que el jefe se va al infierno de

vez en cuando, y cuando se va tarda en volver. La verdad es que nosotros no sabemos nada de lo que hace durante sus largas ausencias.

Mientras tanto, a fuerza de mucho rogar, y en pago de haber dicho la buenaventura a todos los ladrones, asegurándoles que no serían ahorcados y que su vejez sería feliz, había yo conseguido que por las tardes me sacasen de la caverna y me atasen a un árbol, pues allí dentro el calor me ahogaba. Excusado es decir que siempre había a mi lado un par de centinelas.

Una tarde los ladrones que habían salido a las órdenes del segundo jefe volvieron trayendo atado a un pobre segador de cuarenta a cincuenta años, cuyas lamentaciones partían el alma:

—¡Dadme mis veinte duros!—decía. —¡Ah! ¡Si supierais cómo he trabajado para ganarlos! ¡Todo un verano bajo el fuego del sol. . .! ¡Así he reunido, con mil privaciones, esa suma con que podríamos vivir este invierno! . . . ¡Y, cuando ya voy de vuelta, deseando abrazar a mis hijos y pagar las deudas que para comer hayan hecho aquellos infelices, ¿cómo he de perder ese dinero, que es para mí un tesoro? ¡Piedad, señores! ¡Dadme mis veinte duros! ¡Dádmelos, por los dolores de María Santísima!

Pero todos se reían de las quejas del pobre hombre. El horror me hacía temblar en el árbol a que estaba atado, porque los gitanos también tenemos familia. . .

—No seas loco. . . —exclamó al fin un bandido, acer-

---

centinela, *m.* sentry
piedad, *f.* mercy
queja, *f.* lamentation
vejez, *f.* old age

tarda en volver, he is a long time coming back
a fuerza de, by dint of
cuando ya voy de vuelta, as I am on my way back
¡por los dolores de María Santísima! by the sufferings of the Blessed Virgin!

cándose más al infeliz.— Haces mal en pensar en tu dinero, cuando tienes cuidados mayores en que ocuparte. . .

—¡Cómo!—dijo el desgraciado, sin comprender que hubiese mal más grande que dejar sin pan a sus hijos.

—¡Estás en poder de *Parrón!*

—*Parrón* . . . ¡No lo conozco! Vengo de muy lejos, de Alicante. Nunca lo he oído nombrar.

—Pues, amigo mío, *Parrón* quiere decir la *muerte*. Es preciso que mueran todos los que caen en nuestro poder. Así, pues, prepárate a bien morir. Tienes cuatro minutos.

—¡Oídme por compasión! . . .

—Habla.

—Tengo seis hijos . . . y una infeliz . . . diré viuda . . ., pues veo que voy a morir. Leo en vuestros ojos que sois peores que fieras. . . ¡Sí, peores! Porque las fieras de una misma especie no se devoran unas o otras. ¡Ah, perdón! . . . No sé lo que digo. ¡Caballeros, alguno de ustedes será padre! . . . ¿No hay un padre entre vosotros? ¿Sabéis lo que son seis niños pasando un invierno sin pan? ¿Sabéis lo que sufre una madre, viendo morir a sus hijos diciendo: "Tengo hambre . . . tengo frío"? Señores: ¡yo no quiero mi vida, sino por ellos! ¿Qué es para mí la vida? ¡Una cadena de trabajos y privaciones! ¡Pero debo vivir para mis hijos! . . . ¡Hijos míos! ¡Hijos de mi alma!

Y el segador se arrastraba por el suelo, y levantaba hacia los ladrones una cara . . . ¡Qué cara! . . . Se parecía a la de los santos que el emperador Nerón echaba a los tigres, según cuenta el padre cura. . .

Los bandidos sintieron moverse algo dentro de su pecho, pues se miraron unos a otros . . .; y viendo que todos

---

cadena, *f.* chain **tigre,** *m.* tiger
sin comprender que hubiese mal más grande, without realizing that there could be an evil greater . . .
prepárate a bien morir, get ready to die like a man

estaban pensando la misma cosa, uno de ellos se atrevió a decirla. . .

—¿Qué dijo?—preguntó el Conde, profundamente afectado por la narración.

—Dijo: "Caballeros, lo que vamos a hacer no lo sabrá nunca *Parrón*. . ."

—Nunca . . . nunca . . . —repitieron los bandidos.

—¡Márchese usted, buen hombre!—exclamó entonces uno de ellos.

Yo también le hice una señal para que se fuese al instante. El infeliz se levantó del suelo.

—Pronto . . . ¡Márchese usted!—repitieron todos.

El pobre hombre alargó la mano maquinalmente.

—¿Te parece poco?—gritó uno—¿También quieres tu dinero?

—Vete en paz, hombre; y no nos tientes la paciencia.

El desgraciado se alejó, llorando y a poco desapareció.

Media hora había pasado, empleada por los ladrones en jurarse unos a otros no decir nunca a su capitán que habían dejado ir libre a un hombre, cuando de pronto apareció *Parrón* a caballo, trayendo al pobre segador. Los bandidos se asustaron.

Parrón bajó del caballo muy despacio, tomó su enorme escopeta, y mirándolos a todos, dijo:

—¡Imbéciles! ¡Idiotas! ¡No sé cómo no os mato a todos! ¡Pronto! ¡Entregad a este hombre los veinte duros que le habéis robado!

Los ladrones sacaron los veinte duros y se los dieron al

---

afectar, to move
alargar, to hold out
maquinalmente, mechanically

no nos tientes la paciencia, don't try our patience
a poco, shortly afterwards
empleada . . . en jurarse unos a otros, during which the thieves swore to each other

segador, el cual se arrojó a los pies de aquel personaje que dominaba a los demás y que tan buen corazón tenía.

—Sin las indicaciones de usted—le dijo *Parrón*—nunca los hubiera encontrado. ¡Ya ve como usted dudaba de mí sin motivo! . . . He cumplido mi promesa. . . Ahí tiene usted sus veinte duros. . . Conque . . . ¡en marcha!

El infeliz le abrazó repetidas veces, y se alejó muy contento. Pero no había andado cincuenta pasos, cuando el capitán lo llamó de nuevo. El pobre segador se apresuró a volver.

—¿Qué manda usted?—le preguntó, deseando ser útil al hombre que le había devuelto la felicidad a su familia.

—¿Conoce usted a *Parrón?*—le preguntó él mismo.

—No lo conozco.

—¡Sí, le conoces!—contestó el bandido.— Yo soy *Parrón.*

El segador se puso pálido como un muerto.

Parrón levantó entonces la escopeta y disparó dos tiros al desgraciado, el cual cayó al instante al suelo.

—¡Maldito seas!—fué lo único que dijo.

A pesar del terror que casi me hizo perder el sentido, sentí que la soga que me ataba al árbol cedía. Una de las balas, después de herir al infeliz, la había roto. Yo fingí no comprender que estaba libre, y esperé una ocasión para escaparme.

Entretanto decía *Parrón* a los suyos, señalando al muerto:

—¡Disteis la libertad a ese hombre y él se fué, dando gritos por los caminos! ¡Si en vez de encontrarme a mí,

---

disparar, to fire

entretanto, meanwhile

¡Ya ve . . . sin motivo! You see how you mistrusted me . . . without reason!

¡Maldito seas! Curse you!

que casi me hizo perder el sentido, that almost deprived me of my senses

dando gritos por los caminos, shouting all along the way

hubiera encontrado a los guardias, les habría dado nuestras señas, y a esta hora estaríamos todos en la cárcel! ¡Ved las consecuencias de robar sin matar! Con que, no más compasión, y enterrad ese cadáver.

Mientras los ladrones enterraban al muerto y *Parrón* se sentaba a comer, me alejé poco a poco del árbol y llegué al sitio donde estaba mi borrico. Subí en él, y aunque era de noche, la luz de la luna me guiaba por aquellos peligrosos caminos hasta que salí de la sierra.

Aquí estoy, pues, señor Conde. Déme los mil reales, y yo diré las señas de *Parrón*, el cual aun tiene mis tres duros y medio. . .

Dió el gitano la descripción del bandido; recibió la suma ofrecida, y salió del despacho, dejando asombrado al Capitán General.

Falta ahora saber si acertó o no acertó Heredia al decir la buenaventura a *Parrón*.

Quince días después de la escena que acabamos de referir, y a eso de las nueve de la mañana, se formaban cuatro compañías de soldados en la gran plaza de Granada. Iban a salir en busca de *Parrón*, cuyas señas había al fin averiguado el Conde del Montijo.

El interés del público que allí había acudido era extraordinario. Las familias y amigos de los soldados se despedían de ellos con visible muestra de emoción. ¡Tal miedo tenían todos al famoso bandido en el antiguo reino de Granada!

—Ya estamos formando—dijo un soldado a otro, —y no veo al cabo López.

—Extraño es, en verdad, pues él llega siempre antes que

---

asombrado, -a, amazed　　**muestra,** *f.* sign

Con que, no más compasión, So no more pity
a eso de las nueve, at about nine o'clock
Ya estamos formando, The order of "fall in" has been given

nadie, cuando se trata de salir en busca de *Parrón*, a quien detesta con sus cinco sentidos.

—¿Pues no sabéis la noticia?—dijo otro soldado, tomando parte en la conversación.

—¡Hola! es nuestro nuevo camarada. . . ¿Cómo te va en nuestra compañía?

—¡Perfectamente!—respondió el interrogado.

Era éste un hombre alto, pálido y distinguido, a quien no le caía muy bien el uniforme.

—¿Qué nuevas hay?—continuó el primer soldado.

—Que el cabo López ha muerto . . .—respondió el novicio.

—*Manuel*. . . ¿Qué dices? ¡Eso no puede ser! . . . Yo mismo he visto a López esta mañana, como te veo a ti. . .

El nuevo soldado, llamado *Manuel*, contestó fríamente:

—Hace media hora que lo ha matado *Parrón*.

—*¿Parrón?* . . . ¿Dónde?

—¡Aquí mismo! ¡En Granada! En la calle del Perro se ha encontrado su cadáver.

Todos quedaron silenciosos menos *Manuel*, que empezó a cantar una canción patriótica.

—¡Once soldados muertos en seis días!—añadió un sargento. —*¡Parrón* se propone exterminarnos! ¿Pero cómo es que está en Granada? ¿No íbamos a buscarlo a la sierra de Loja?

Manuel dejó de cantar, y dijo con su acostumbrada indiferencia:

—Una vieja que vió al asesino de López dice que, después que le mató, aseguró que si íbamos a buscarle tendríamos el gusto de verle. . .

---

asesino, *m.* murderer
cabo, *m.* corporal
interrogado, *m.* person addressed
novicio, *m.* novice
nuevas, *f. pl.* news
sargento, *m.* sergeant
silencioso, -a, silent

a quien detesta . . . sentidos, whom he hates with all his soul
a quien . . . el uniforme, whose uniform did not look well on him

—¡Qué calma tienes, *Manuel!* ¿No te asusta el nombre de ese bandido?

—¿Pues qué? *Parrón* no es más que un hombre—contestó *Manuel* con su habitual sangre fría.

—¡A la formación!—gritaron en este momento varias voces.

Formaron las cuatro compañías, y se comenzó a pasar lista.

En ese momento pasaba por allí el gitano Heredia, el cual se paró, como todos, a mirar a los soldados. Notóse entonces que *Manuel*, el nuevo soldado, se volvió para ocultarse detrás de sus compañeros.

Al mismo tiempo Heredia fijó en él sus ojos; y, gritando y saltando como si estuviera loco, echó a correr hacia la calle de San Jerónimo. *Manuel* levantó la escopeta y apuntó al gitano pero otro soldado tuvo tiempo de mudar la dirección del arma, y la bala se perdió en el aire.

—¡*Manuel* está loco! ¡El nuevo soldado ha perdido el juicio!—exclamaban algunos.

Y todos, oficiales y soldados, rodeaban y sujetaban a aquel hombre, que luchaba inútilmente por escaparse.

Mientras tanto, dos hombres que vieron correr a Heredia le detuvieron.

—¡El Capitán General!—gritaba desesperadamente el gitano. —¡Tengo que hablar con el Capitán General!

—Tú estás loco, gitano—le respondieron. —Pero allí está el jefe de los soldados, y él dirá lo que hay que hacer contigo.

—Pues es lo mismo—respondió Heredia. —Pero tengan ustedes cuidado de que no me mate *Parrón*.

—¿Cómo *Parrón?* ¿Qué dice este hombre?

---

sujetar, to hold

¡A la formación! Fall in!
se comenzó a pasar lista, they began to call the roll
ha perdido el juicio, has lost his mind

—Venid y veréis.

Así diciendo, el gitano fué conducido delante del jefe de los soldados, y señalando a *Manuel*, dijo:

—Mi capitán, ¡ése es *Parrón!*; y yo soy el gitano Heredia que dió sus señas al señor Conde.

—*¡Parrón! ¡Parrón* está preso! ¡Un soldado era *Parrón!* —gritaron muchas voces.

—No cabe duda . . . —decía entretanto el capitán de los soldados, leyendo las señas que le habían dado del bandido. ¡En verdad que hemos estado en peligro de muerte! Pero ¿a quién se le hubiera ocurrido buscar al jefe de los ladrones entre los soldados que iban a buscarle?

—¡Lo merezco!—decía al mismo tiempo *Parrón*, mirando al gitano con ojos de león herido:—¡eres el único hombre a quien he perdonado la vida!

A la semana siguiente, ahorcaron a *Parrón*. Cumplióse, pues, literalmente la buenaventura del gitano.

COMPREHENSION

Complete correctly the following sentences: 1. Ocho días después los bandidos trajeron a un ____. 2. Este había reunido veinte duros para su ____. 3. Los ____ dejaron ir al segador. 4. ____ le cogió y le mató. 5. La bala que le mató rompió la soga que ataba al ____ a un árbol. 6. Este volvió a ____ para dar las señas del bandido. 7. Quince días después se formaba una ____ para ir en busca de Parrón. 8. Entre los soldados había uno nuevo llamado ____. 9. Mientras que éste hablaba con sus compañeros, pasó por allí ____. 10. ____ levantó la escopeta y apuntó. 11. ____ le cogió el arma y la bala se perdió. 12. Heredia les reveló a todos que *Manuel* era ____.

---

está preso, has been caught
No cabe duda, There is no doubt about it
a quien he perdonado la vida, whose life I have spared

FOR STUDY

1. *Translate:* lo merezco, vengo, cayó, disteis, llegué, sabrá, tendríamos, lo he devuelto, déme, sepa usted, no seas loco, vete, leyendo, trayendo, maldito seas, si supierais, siento que lo haya hecho, si los hubiera encontrado, como si estuviera aquí.

2. *Translate:* he de perderle, por allí, de vez en cuando, no tardó en volver, a eso de las nueve, no se atrevió a decírmelo, excusado es decir, los dos se parecen mucho, aquí mismo, hoy mismo, mañana mismo.

3. *Translate:* tengo miedo, tienen hambre, ¿tienes frío?, no tengo ganas, tiene usted razón, tiene celos.

4. *Give antonyms for the following:* adelante, alejarse, caballo viejo, desaparecer, distinto, entristecerse, infierno, jovial, llorar, maldito, mayor, muerto, paz, primero, sacar, temprano, vejez, vender.

For discussion (after reading *El libro talonario* and *La buenaventura*)

In what way does *Buscabeatas* resemble Sento and the *parásito?* Do you find in the stories of Blasco Ibáñez a note that is not felt in Alarcón? What do you learn from Alarcón about the soil and people of the district around Cádiz? What use does Alarcón make of crowds? Is the moral of *La buenaventura* "Crime doesn't pay"? If not, what is it? Who is the most interesting character to appear in the book up to now? What is the most effective scene? Who is the best story-teller: Palacio Valdés, Blasco Ibáñez or Alarcón? Which of the three is most interested in psychology?

PÍO BAROJA

[1872–   ]

PÍO BAROJA is often called the best of the contemporary Spanish novelists. He has what a novelist most needs: originality, insight, and a varied experience to draw upon. He was born in the Basque city of San Sebastián, and endowed with the sturdy independence for which the natives of that region are noted. He studied to be a doctor, and practiced for two years in a small Basque seaside town, but patients were so long in coming that he began writing short stories in the book which he had bought to enter their accounts. The result was his first book, called *Vidas sombrías*, whose title struck the note to be sounded in all his later work. Of this book he sold at the time only fifty copies. Discouraged with medicine as a profession, he joined his brother in setting up a bakery which, if not very remunerative, gave them interesting experiences. A lucky turn in the stock market made it unnecessary for them to continue it, and Baroja devoted himself thereafter to writing.

The theme of Baroja's doctoral thesis was *El dolor*, and the idea has never ceased to permeate his work. He is an avowed pessimist, and he believes that a book should be a true picture of life, not an opiate compounded of fine phrases and a happy ending. For this reason the story of Elizabide is exceptional. He gives no artificial stature to the heroes of his books; often they are less interesting than minor characters who appear a few times and are never seen again. Because he refuses to give his novels the neat pattern which he does not see in life, they are formless, starting in the midst of things, reaching no conclusion.

Baroja's charm lies in the sharpness of his observation, in his great pictorial ability, and in a special acidity which delights those who can take it. He excels in the painting of landscapes, and as his characters are always on the move, one can get a splendid idea of Spain from their wanderings. Especially distinguished for this is the novel *Camino de perfección*, which is often called his masterpiece. He writes his novels in threes; one of the best known of these trilogies is *La lucha por la vida*, a powerful and detailed picture of the life of the underworld of Madrid. Because of his characters, who drift from one phase of life to another, and because of the grim humor with which he recounts their adventures, his work constitutes a modern continuation of the picaresque novel.

ELIZABIDE EL VAGABUNDO

Muchas veces, mientras trabajaba en aquel abandonado jardín, *Elizabide el Vagabundo* se decía al ver pasar a Maintoni, que volvía de la iglesia:

—¿Qué pensará? ¿Vivirá satisfecha?

¡La vida de Maintoni le parecía tan extraña! Porque era natural que él, que había estado siempre corriendo por el mundo, encontrara la calma y el silencio de la aldea deliciosos. Ella, sin embargo, que no había salido nunca de aquel rincón, ¿no sentiría deseos de asistir a teatros, a fiestas, a diversiones, de vivir otra vida más espléndida, más intensa? Y como *Elizabide el Vagabundo* no se daba respuesta a su pregunta, seguía moviendo la tierra con su azadón filosóficamente.

—Es una mujer fuerte—pensaba después;—su alma es

---

azadón, *m.* hoe

tan serena, tan clara, tan sincera que me interesa. Un interés científico, sólo científico, eso es claro.

Y *Elizabide* seguía trabajando en el jardín abandonado de su casa.

Era un tipo curioso *Elizabide el Vagabundo.* Reunía todas las cualidades y defectos del vascongado de la costa: era audaz, irónico, perezoso, burlón. La ligereza y el olvido constituían la base de su temperamento. No daba importancia a nada, se olvidaba de todo. Había gastado casi entero su capital en sus viajes por América. Hoy era periodista en un pueblo, mañana comerciante en otro. Aquí vendía ganado, allá vinos. Estuvo muchas veces a punto de hacer fortuna, lo que no consiguió por indiferencia. Era de esos hombres que se dejan llevar por los acontecimientos sin protestar nunca. Su vida, él la comparaba con la marcha de uno de esos troncos que van por el río que, si nadie los recoge, se pierden al fin en el mar.

Su inercia y su pereza eran más de pensamiento que físicas; su alma huía de él muchas veces. Le bastaba mirar el agua corriente, contemplar una nube o una estrella para olvidar el proyecto más serio de su vida, y cuando no lo olvidaba por esto, lo olvidaba por cualquier otra cosa.

Ultimamente se había encontrado en una estancia del Uruguay, y como *Elizabide* era agradable en su trato y en su aspecto, a pesar de tener ya sus treinta y ocho años, el dueño de la estancia acabó por ofrecerle la mano de su hija. *Elizabide*, a quien no le parecía mal la vida salvaje

---

acontecimiento, *m.* event
audaz, bold, daring
burlón, -a, mocking
científico, -a, scientific
comerciante, *m.* merchant
inercia, *f.* inertia
ligereza, *f.* levity
olvido, *m.* forgetfulness
pereza, *f.* laziness
periodista, *m.*, journalist
tronco, *m.* log
vascongado, -a, Basque

se dejan llevar, let themselves be carried along

de la estancia, aceptó, y ya estaba para casarse cuando sintió la nostalgia de su pueblo, del olor a heno de sus montes, del paisaje brumoso de la tierra vascongada. Como su temperamento no permitía las explicaciones, una mañana dijo a los padres de la muchacha que salía para Montevideo a comprar el regalo de boda. Montó a caballo; llegó a la capital, se embarcó en un trasatlántico, y después de saludar por última vez la tierra del continente americano, se volvió a España.

Treinta días después llegaba a su pueblo, un pueblecillo de la provincia de Guipúzcoa. Abrazó a su hermano Ignacio, que era allí el único boticario. Fué a ver en seguida a la anciana que le había criado, a quien prometió no volver a salir, y por fin se estableció en su casa. Cuando corrió por el pueblo la noticia que *Elizabide* no sólo no había hecho dinero en América, sino que lo había perdido, todo el mundo recordó que antes de salir de la aldea ya tenía fama de vagabundo.

El no se preocupaba absolutamente nada por estas cosas; se pasaba las horas en su huerta, y a veces mataba el tiempo construyendo una gran canoa para andar por el río.

La casa de su hermano estaba a la entrada del pueblo, completamente aislada. La parte que daba al camino tenía un jardín rodeado de una tapia. Por encima de ella salían verdes ramas de laurel, que protegían la fachada del viento del norte, y bajaba un torrente de rosas blancas y amarillas. La casa no tenía balcones, sino sólo ventanas, y éstas abiertas en la pared sin simetría alguna.

---

aislado, -a, isolated
brumoso, -a, misty
canoa, *f.* canoe
fachada, *f.* façade
heno, *m.* hay
nostalgia, *f.* homesickness
olor, m. smell
rama, *f.* branch
tapia, *f.* wall
trasatlántico, *m.* steamer

ya estaba para casarse, he was on the point of getting married

Al pasar en el tren o en el coche por las provincias del Norte, ¿no habéis visto casas solitarias que, sin saber por qué, os han dado envidia? Parece que allá dentro se debe vivir bien, se adivina una existencia dulce y apacible. Sospechamos que aquellas ventanas con sus cortinas esconden interiores monásticos, grandes habitaciones donde pasan lentas las horas, medidas por el tic-tac del viejo reloj. Tal era la casa del boticario.

Elizabide vió por primera vez a Maintoni en el jardín, un día que él vino a visitar a su hermano. El y ella se saludaron fríamente.

—Vamos hacia el río—dijo poco después la mujer del boticario. —Allí tomaremos el chocolate.

Maintoni entró en la casa, y los otros tres bajaron por entre los árboles en flor a una plazoleta que estaba junto al río. Allí había una mesa rústica y un banco de piedra. El sol, al penetrar entre las hojas, iluminaba el fondo del río, y se veían las piedras redondas del cauce y los peces que pasaban lentamente brillando como si fueran de plata. El tiempo era de una tranquilidad admirable; el cielo azul puro y sereno.

Poco después llegaba Maintoni con sus dos sobrinitos y una criada que venía a servir el chocolate. *Elizabide* habló de sus viajes, contó algunas aventuras y tuvo suspensos de sus labios a todos. Sólo ella, Maintoni, pareció no interesarse gran cosa por aquellas narraciones.

—Mañana volverás, tío, ¿verdad?—le decían sus dos sobrinos.

—Sí, vendré.

Elizabide se despidió y se marchó a su casa pensando

---

apacible, peaceful
cauce, *m.* river bed
cortina, *f.* curtain
pez, *m.* fish
plazoleta, *f.* clearing
narración, *f.* narrative

os han dado envidia, have made you envious
tuvo suspensos . . . a todos, he had them all hanging on his words

siempre en Maintoni. La veía en su imaginación tal cual era: pequeña, esbelta, con sus ojos negros, brillantes, rodeada de sus sobrinos, que la abrazaban y la besaban.

Como el mayor de los chicos del boticario amaba el estudio, *Elizabide* se dedicó a darle lecciones de francés y a estas lecciones asistió Maintoni.

¿Por qué se sentía él tan atraído por aquella cuñada de su hermano . . . tan serena, tan inmutable? Aun no comprendía, sin embargo, si su alma era un alma de niña sin deseos ni aspiraciones, o si era una mujer indiferente a todo lo que no se relacionase con las personas que vivían en su hogar. El la solía mirar absorto. «¿Qué pensará?» se preguntaba. Una vez hasta se atrevió a preguntarle:

—¿Y usted no piensa casarse, Maintoni?

—¡Yo! ¿Casarme?

—¿Por qué no?

—¿Quién va a cuidar de estos niños si me caso? Además, yo ya tengo veinte y siete años—contestó ella riéndose.

—¿Y yo que tengo treinta y ocho?—añadió *Elizabide.*

Maintoni a esto no dijo nada; no hizo más que sonreír.

—¿Qué clase de mujer es ésta?—se decía él. —No tiene mucho orgullo, tampoco es romántica, y sin embargo. . .

En la orilla del río había una fuente cuya agua parecía de cristal. «Así es el alma de Maintoni,» se decía *Elizabide* y, sin embargo . . ., a pesar de su transparencia no la comprendía, y pensaba más y más en ella.

Llegó el verano. En el jardín de la casa del boticario se reunía la familia todas las noches. *Elizabide* no faltaba nunca. Al anochecer, cuando el cielo se llenaba de estrellas y la luz pálida de Júpiter brillaba más que la de

---

absorto, -a, absorbed in thought
atraído, -a, attracted
esbelto, -a, slender
hogar, *m.* home
inmutable, impassive
relacionarse, to be connected

las otras, las conversaciones se hacían más íntimas. Hasta Maintoni se mostraba más expansiva.

A las nueve, cuando se oía pasar la diligencia, se disolvía la reunión y *Elizabide* se marchaba a su casa haciendo proyectos para el día siguiente. «¿No es extraño, se preguntaba en el camino—que yo, después de haber viajado tanto, haya vuelto a este pueblecillo a enamorarme de una señorita de aldea?»

Fué pasando el verano, llegó la época de las fiestas, y el boticario y su familia se prepararon para ir a la romería de Arnazabal como todos los años.

—Tú también vendrás con nosotros—le dijo el boticario a su hermano.

—Yo no—respondió *Elizabide.*

—¿Por qué no?

—No tengo ganas.

—Bueno, bueno; pero te advierto que vas a quedarte solo, porque hasta las muchachas vendrán con nosotros.

—¿Y usted también?—preguntó *Elizabide* a Maintoni.

—Sí. ¡Ya lo creo! A mí me gustan mucho las romerías.

—No es por eso—replicó el boticario. —Va a ver al médico de Arnazabal. Es un muchacho joven que conoció el año pasado.

—¿Y por qué no?—exclamó Maintoni sonriendo.

Elizabide palideció, pero no dijo nada.

El día antes de la romería el boticario volvió a preguntarle a su hermano:

—¿Vienes o no?

—Bueno, iré—contestó *Elizabide.*

La mañana siguiente se levantaron temprano y salieron del pueblo. Tomaron la carretera, y después de atravesar

---

carretera, *f.* highway
diligencia, *f.* stagecoach
disolverse, to break up
palidecer, to turn pale

No es por eso, That is not the reason

un inmenso campo de yerba verde, se perdieron en el monte. La mañana era fresca; en el cielo azul se veían algunas nubecillas blancas. A las diez de la mañana llegaron a Arnazabal, un pueblo situado en una altura, con su iglesia, su gran plaza en que se jugaba a la pelota, y tres o cuatro calles formadas por casas de piedra.

Entraron por fin en una casa que era de la mujer del boticario, y pasaron a la cocina. Allí vieron una anciana que animaba el fuego. Al verlos ella abandonó su labor, y se acercó a saludarlos a todos, besando a Maintoni, a su hermana y a los chicos.

—¿Y usted es el que estaba en América?—preguntó la anciana a *Elizabide*.

—Sí; yo era el que estaba allá.

Poco después todos salieron para ir a la iglesia y la anciana se quedó sola preparando la comida.

A eso de las dos volvió la familia con varios invitados, y se sentaron a comer. Había doce personas a la mesa, entre ellas el médico del pueblo, que se sentó cerca de Maintoni, y tuvo para ella y para su hermana un sinfín de atenciones.

Elizabide sintió una tristeza tan grande en aquel momento, que pensó en dejar la aldea y volverse a América. Durante la comida, Maintoni le miraba mucho.

—Es para burlarse de mí—pensaba *Elizabide*. —Ha sospechado que la quiero y por eso se sonríe con el otro.

Al terminar la comida eran más de las cuatro. Había comenzado la música para el baile. El médico seguía al lado de Maintoni, y ella seguía mirando a *Elizabide*.

Al anochecer, cuando la fiesta estaba en su esplendor,

---

invitado, *m.* guest
pelota, *f.* jai alai
yerba, *f.* grass

y tuvo para ella . . . de atenciones, and paid her and her sister a great deal of attention
eran más de las cuatro, it was after four

comenzó el *aurrescu*. Los muchachos, cogidos de la mano, daban vueltas a la plaza, precedidos de los tamborileros. De repente, dos de ellos, con las boinas en la mano, invitaron a Maintoni a ser la reina del baile. Ella trató de disuadirlos: miró a su cuñado, que sonreía; a su hermana, que también sonreía; y a *Elizabide*, que estaba fúnebre.

—Anda, no seas tonta—le dijo su hermana.

Y comenzó el baile con todas sus ceremonias y sus saludos, recuerdos de una edad primitiva y heroica. Concluído el *aurrescu*, el boticario empezó a bailar el fandango con su mujer, y el joven médico con Maintoni.

Cayó la noche: empezaron a apagarse las hogueras que los muchachos habían hecho en la plaza, y la gente comenzó a retirarse. La familia del boticario y *Elizabide* emprendieron el camino hacia su casa. Hacía luna. A lo lejos, entre los montes, se oían los *irrintzis* de los otros que volvían de la romería, gritos como relinchos salvajes. En las espesuras brillaban las luciérnagas como estrellas azuladas, y los sapos lanzaban su nota de cristal en el silencio de la noche serena.

De vez en cuando, al bajar alguna cuesta, el boticario se empeñaba en que todos la bajaran cogidos de la mano. A pesar de que *Elizabide* trataba de alejarse de Maintoni porque estaba celoso, ella, sin saber cómo, se encontraba siempre junto a él. Al formar la cadena para bajar la cuesta, ella tuvo que darle la mano. Cuando menos lo

---

aurrescu, *m.* Basque dance for eight persons
azulado, -a, bluish
boina, *f.* beret
celoso, -a, jealous
espesura, *f.* thicket
fúnebre, mournful
hoguera, *f.* bonfire
irrintzi, *m.* Basque call
luciérnaga, *f.* firefly
relincho, *m.* neighing
sapo, *m.* toad
tamborilero, *m.* drummer

Al formar la cadena, When they joined hands to form a chain

esperaban se le ocurría al boticario, que iba a la cabeza, pararse de repente y todos, perdiendo el equilibrio, caían o se daban los unos contra los otros. De ese modo *Elizabide* recibió a Maintoni en sus brazos más de una vez. Ella reñía a su cuñado y miraba a *Elizabide*, que estaba siempre fúnebre.

—Y usted, ¿por qué está tan triste?—le preguntó por fin con voz maliciosa, y sus ojos negros brillaron en la noche.

—¡Yo! No sé. Es la maldad del hombre a quien le entristece la alegría de los demás.

—Pero usted no es malo—dijo Maintoni, y le miró tan profundamente con sus ojos negros que *Elizabide* perdió la serenidad, y creyó que hasta las estrellas notaban su turbación.

—No, no soy malo—murmuró *Elizabide*—pero soy un hombre inútil, como dice todo el pueblo.

—¿Y eso le preocupa a usted, lo que dice la gente que no le conoce?

—Sí, temo que sea la verdad, y para un hombre que tendrá que marcharse otra vez a América, ése es un temor grave.

—¡Marcharse! ¿Se va usted otra vez?—murmuró Maintoni con voz triste.

—Sí.

—Pero, ¿por qué?

—¡Oh! A usted no se lo puedo decir.

—¿Y si lo adivinara?

—Entonces lo sentiría mucho, porque se burlaría usted de mí, que soy viejo. . .

---

entristecer, to sadden
maldad, *f.* wickedness
turbación, *f.* embarrassment

se le ocurría . . . de repente, he would take a notion . . . to stop all of a sudden
se daban . . . contra los otros, bumped into each other

—¡Oh no!

—Que soy pobre.

—No importa.

—¡Oh, Maintoni! ¿De veras? ¿No me rechazaría usted?

—No, al contrario.

—Entonces . . . ¿me querrás como yo te quiero?—murmuró *Elizabide el Vagabundo* en vascuence.

—Siempre, siempre. . . Y Maintoni dejó caer la cabeza sobre el pecho de *Elizabide* y éste la besó en su cabellera castaña.

—¡Maintoni! ¡Aquí!—le dijo su hermana, y ella se alejó de él; pero se volvió a mirarle una vez, y muchas.

Alrededor vibraba la noche llena de misterios; en el cielo palpitaban las estrellas.

Elizabide el Vagabundo, sofocado de felicidad, miraba con los ojos muy abiertos una estrella lejana, muy lejana, y le hablaba en voz baja. . .

COMPREHENSION

1. *Complete each of the following sentences by supplying the correct word:* 1. *Elizabide* pensaba en Maintoni mientras trabajaba en el ____. 2. Había gastado su dinero viajando por ____. 3. Había trabajado en una hacienda del ____. 4. Iba a casarse allí cuando decidió volver a ____. 5. Su pueblecito estaba en la provincia de ____. 6. Su hermano tenía una casa cerca del ____. 7. *Elizabide* vió a Maintoni por primera vez en el ____. 8. La familia tomaba chocolate junto al ____. 9. En el verano la familia se preparó para ir a una ____. 10. Al llegar al pueblo entraron en una casa y pasaron a la ____. 11. El médico del pueblo estaba sentado cerca de Maintoni en

---

cabellera, *f.* hair
castaño, -a, chestnut
rechazar, to reject
sofocado, -a, overwhelmed
vascuence, *m.* Basque

la ____. 12. Después hubo un baile en la ____. 13. Por fin la familia de *Elizabide* salió para ____. 14. Todos formaban una cadena para bajar las ____. 15. *Elizabide* le dijo a Maintoni que iba a volver a ____. 16. Maintoni la besó en la ____. 17. Las estrellas palpitaban en el ____.

FOR STUDY

1. *Give the infinitive of:* advierto, creyó, consiguió, despidió, estuvo, piensa, pierde, sonríe, vieron, vino.

2. *Translate:* ¿me querrás?, vendré, construyendo, riéndose, es extraño que no haya vuelto, no seas tonto.

3. *Translate:* sin embargo, en seguida, siguió trabajando, de ese modo, se despidieron, no tengo ganas, ¿piensas en mí?, al anochecer, la solía mirar, juguemos a la pelota.

4. *Give one noun corresponding to each of the following verbs:* anochecer, bailar, comer, cuidar, divertir, desear, gritar, importar, interesar, jugar, pensar, recordar, reír, reunir, saludar, sentir, temer, volver.

For discussion (after reading *Elizabide el Vagabundo*)

How does *Elizabide* differ from the heroes of the other stories you have read so far? Does he in any way resemble Baroja himself? Baroja is often called antisocial; judging from the story, is he antisocial in the same sense that Blasco Ibáñez is? Does the story most excel in action, character or description? Which of the scenes is the best?

EMILIA PARDO BAZÁN

[1851–1921]

AMONG the Spanish women who have won special distinction in letters, the countess of Pardo Bazán deserves a high place. Because of her remarkable energy and intelligence she is often compared with the great sixteenth century mystic, Santa Teresa de Jesús. She was born in Galicia, whose women are noted for their superiority, the only daughter of the count and countess of Pardo Bazán. As a child she read everything she could get her hands on, including the Bible, the *Quijote*, and the labels on the spice cans. During vacations she taught herself Latin.

She was married at the early age of seventeen. For a time she frequented the aristocratic society of Madrid, but her vigorous personality soon demanded another outlet and she began traveling through Europe, moving in foreign literary circles and studying with enthusiasm the literatures of the countries she visited. Her own work was especially influenced by the French naturalist school, though it never lost its Spanish flavor. Pardo Bazán was a prolific writer, and for many years she kept up the publication of novels, short stories, essays and criticism. In 1916, however, the University of Madrid created for her a chair of Romance literatures, and she soon became so absorbed in her professorial duties that she ceased writing altogether. Her life was an extraordinarily active and successful one. Her one serious disappointment came from the fact that the members of the Spanish Academy could not be persuaded to add her to their number.

Pardo Bazán's novels and short stories present a great variety of characters and scenes. Her finest novels, *Los Pazos de Ulloa* and *La madre Naturaleza*, give a vivid picture of decaying nobility in the rural districts of her own Galicia, but such distinct persons as a cigar maker, a medical student, a school teacher and an executioner are the central figures in others. Her short stories fill more than eight volumes, and most of them are very good indeed; they present on the whole a fine balance of action, character and setting. If now and then they reveal their feminine authorship it is not because they are weak but because they express special feminine viewpoints or show exceptional familiarity with the details of domestic life.

EL DÉCIMO

¿La historia de mi boda? Oiganla ustedes; es bastante original.

Una chica del pueblo, muy mal vestida, y en cuyo rostro se veía pintada el hambre, fué quien me vendió el décimo de billete de lotería, a la puerta de un café, a las altas horas de la noche. Le di por él la enorme cantidad de un duro. ¡Con qué humilde y graciosa sonrisa respondió a mi generosidad!

—Se lleva usted la suerte, señorito—dijo ella con la exacta y clara pronunciación de las muchachas del pueblo de Madrid.

—¿Estás segura?—le pregunté en broma, mientras yo metía el décimo en el bolsillo del sobretodo y me subía el cuello a fin de protegerme del frío de diciembre.

—¡Claro que estoy segura! ¡Ya lo verá usted, señorito!

---

broma, *f.* jest

a las altas horas de la noche, late at night

Si yo tuviera dinero no lo compraría usted. . . El número es el 1,620; lo sé de memoria, los años que tengo, diez y seis, y los días del mes que tengo sobre los años, veinte justos. ¡Ya ve si lo compraría yo!

—Pues, hija—respondí queriendo ser generoso,—no te apures: si el billete saca premio . . . la mitad será para ti.

Una alegría loca se pintó en los negros ojos de la chica, y con la fe más absoluta, cogiéndome por un brazo, exclamó:

—¡Señorito! por su padre y por su madre, déme su nombre y las señas de su casa. Yo sé que dentro de ocho días seremos ricos.

Sin dar importancia a lo que la chica decía le di mi nombre y mis señas; y diez minutos después ni recordaba el incidente.

Pasados cuatro días, estando en la cama, oí gritar la lista de la lotería. Mandé que mi criado la comprara, y cuando me la trajo, mis ojos tropezaron inmediatamente con el número del premio gordo. Creí que estaba soñando, pero no, era la realidad. Allí, en la lista, decía realmente 1,620. . . ¡Era mi décimo, la edad de la muchacha, la suerte para ella y para mí! Eran muchos miles de duros lo que representaban aquellas cuatro cifras. Me sentía tan dominado por la emoción que me era imposible decir palabra y hasta mover las piernas. Aquella humilde y extraña criatura, a quien nunca había visto antes, me había traído la suerte, había sido mi *mascota*. . . Nada más justo que dividir la suerte con ella; además, así se lo había prometido.

Al punto deseé sentir en los dedos el contacto del

---

apurarse, to worry

y los días del mes que tengo sobre los años, and the extra days (*i.e.* the girl is sixteen years and twenty days old.)

¡Ya ve si lo compraría yo! You can imagine if I would buy it!

por su padre y por su madre, in the name of your father and mother

mágico papelito. Me acordaba bien: lo había guardado en el bolsillo exterior del sobretodo. ¿Dónde estaba el sobretodo? Colgado allí en el armario. . . A ver . . . toco aquí, busco allá . . . pero nada, el décimo no aparece.

Llamo al criado con furia, y le pregunto si había sacudido el sobretodo por la ventana. . . ¡Ya lo creo que lo había sacudido! Pero no había visto caer nada de los bolsillos; nada absolutamente. . . En cinco años que hace que está a mi servicio no le he cogido nunca mintiendo. Le miro a la cara; le he creído siempre, pero ahora, no sé qué pensar. Me desespero, grito, insulto, pero todo es inútil. Me asusta lo que me ocurre. Enciendo una vela, busco en los rincones, rompo armarios, examino el cesto de los papeles viejos. . . Nada, nada.

A la tarde, cuando ya me había tendido sobre la cama para ver si el sueño me ayudaba a olvidarlo todo, suena el timbre. Oigo al mismo tiempo en la puerta ruido de discusión, voces de protesta de alguien que se empeña en entrar, y al punto veo ante mí a la chica, que se arroja en mis brazos gritando y con las lágrimas en los ojos.

—¡Señorito, señorito! ¿Ve usted como yo no me engañaba? Hemos sacado el gordo.

¡Infeliz de mí! Creía haber pasado lo peor del disgusto, y ahora tenía que hacer esta cruel confesión; tenía que decir, sin saber cómo, que había perdido el billete, que no lo encontraba en ninguna parte, y que por consiguiente nada tenía que esperar de mí la pobre muchacha, en cuyos ojos negros y vivos temía ver brillar la duda y la desconfianza.

---

cesto, *m.* basket
desconfianza, *f.* distrust
furia, *f.* fury
timbre, *m.* bell

¡Ya lo creo que lo había sacudido! Of course he had shaken it out!
En cinco años que hace . . . servicio, In the five years that he has been in my service
Hemos sacado el gordo, We have won the first prize
¡Infeliz de mí! Poor me!

Pero me equivocaba, pues cuando la chica oyó la triste noticia, alzó los ojos, me miró con la honda ternura de quien siente la pena ajena y encogiéndose de hombros dijo:

—¡Vaya por la Virgen! Señorito . . . no nacimos ni usted ni yo para ser ricos.

Es verdad que nunca pude hallar el décimo que me habría dado la riqueza, pero en cambio la hallé a ella, a la muchacha del pueblo a quien, después de proteger y educar, di la mano de esposo y en quien he hallado más felicidad que la que hubiera podido comprar con los millones del décimo.

COMPREHENSION

1. ¿Quién cuenta esta historia? 2. ¿Qué es un décimo? 3. ¿Quién le vendió el décimo al caballero? 4. ¿Cuál era el número del billete? 5. ¿Por qué creía la chica que traería la suerte? 6. ¿Qué le prometió el caballero? 7. ¿Qué le dió antes de marcharse? 8. ¿Cuándo volvió a pensar en el billete? 9. ¿Quién le compró la lista de la lotería? 10. ¿Cuál era el número del premio gordo? 11. ¿Dónde buscó el caballero el billete? ¿Con qué resultado? 12. ¿Quién llegó por la tarde? 13. ¿Qué tuvo que decirle el caballero? 14. ¿Qué respondió ella? 15. ¿Qué hizo el caballero antes de casarse con ella? 16. ¿Por qué eran felices?

FOR STUDY

1. *Translate:* enciendo una vela, oigo ruido, suena el timbre, me lo trajo, óiganla, déme las señas, si yo tuviera dinero, está mintiendo.

2. *Translate:* a ver, en cambio, con furia, ya lo creo, se

---

encogiéndose de hombros, shrugging her shoulders
¡Vaya por la Virgen! In the name of the Virgin!
a quien . . . di la mano de esposo, whom I married

engaña, se equivoca, se empeña en levantarse, le oí gritar, apréndelo de memoria, no va a ninguna parte.

3. *Complete each of the following sentences by inserting an appropriate word from the list below:* La chica me vendió un ____. Le pagué un ____. Metí el billete en el ____. Le dí mi nombre y mis ____. Ella me deseó buena ____. Una semana después estaba tendido en la ____. Sonó el ____. Mi ____ dejó entrar a la chica. Tenía los ojos llenos de ____. Me dijo que habíamos sacado el ____.

billete de lotería, bolsillo, cama, criado, duro, lágrimas, premio gordo, señas, suerte, timbre.

EL VOTO

Sebastián Becerro dejó su aldea a la edad de diez y siete años, y embarcó para Buenos Aires con sólo su paraguas, un viejo sobretodo, el pasaje y el pasaporte.

En la travesía Sebastián encontró amigos y compatriotas. Al llegar a la capital de la República Argentina, la suerte se encargó de removerle obstáculos. Admitido en poderosa casa de comercio, subió desde la plaza más insignificante a la más alta, siendo primero dependiente, luego socio, y por último, el amo. No es extraño que quien se priva de todo y trabaja con afán día y noche alcance lo que se propone.

Desde el primer día vivió sujeto a la monástica abstinencia del que concentra su energía en un fin esencial. Aunque era joven y robusto, no buscó nunca el placer. Tampoco tuvo sueños ni ilusiones; en cambio tenía una esperanza. ¿Quién no la adivina? Como todos los de su raza, Sebastián quería volver a su país natal, comprar tierra, y descansar en ella hasta su muerte.

Veinte años después, es decir, a los treinta y siete años de edad, el mozo que había salido pobre de su aldea volvía rico. Fué la travesía plácida y hermosa, y al murmullo de las olas, Sebastián, libre ya de la esclavitud del trabajo, empezó a sentir nuevas aspiraciones. Sin embargo, al darse cuenta de la fortuna que había hecho,

---

comercio, *m.* business
dependiente, *m.* clerk
esclavitud, *f.* slavery
murmullo, *m.* murmur
ola, *f.* wave
paraguas, *m.* umbrella
pasaje, *m.* steamship ticket
socio, *m.* partner
sujeto, -a, subject

al darse cuenta, upon realizing

y al verse joven aún, principió a tener miedo. Empezó a creer que la Providencia, que hasta entonces le había protegido tanto, iba a volverse contra él. "Este barco va a hundirse antes de llegar al puerto, o quizá voy yo a morir de repente" se decía.

De estas aprensiones sufren a menudo los que se acercan a la felicidad esperada largo tiempo. Sin embargo, Sebastián no hizo ninguno de los votos que los cristianos suelen hacer cuando se hallan en peligro. No prometió construir una capilla, ni dar dinero para misas, ni hacer penitencia. . . En cambio prometió casarse sin remedio con la soltera más fea de su lugar. Hecho el voto, recobró la paz del alma, y acabó su viaje felizmente.

Cuando se acercaba a su aldea, poníase el sol entre nubes de violeta. La campiña estaba solitaria y envuelta en suavísima tristeza. Al entrar en un verde sendero encontró la fuente donde tantas veces había bebido siendo muchacho, y junto a la fuente una moza, fresca, rubia, risueña. Sebastián le pidió agua, y ella, sosteniendo el jarro sobre el blanco brazo, lo inclinó hasta su boca.

—Beba, señor, y que le sirva de salú . . . —le dijo.

Siguió Sebastián su camino, y a pocos pasos dió un suspiro, quizá el primero que había dado en toda su vida; pero al llegar al pueblo recordó su promesa, y se propuso buscar la mujer más monstruosa del lugar para casarse con ella.

En efecto, al día siguiente, domingo, fué a la iglesia, y pasó revista de las mujeres. Allí vió muchas chicas feas,

---

aprensión, *f.* apprehension
campiña, *f.* countryside
capilla, *f.* chapel
hundirse, to sink
rubio, -a, blonde
soltera, *m.* unmarried woman
suspiro, *m.* sigh

morir de repente, to drop dead
y que le sirva de salú . . . , may it do you good
pasó revista de, looked over

pero ninguna como una que estaba sentada en un rincón, con un pañuelo amarillo en la cabeza. Tenía la cara horrible; era tuerta, de nariz roma, boca bestial, piel obscura y pelo de bruja.

Sebastián no dudó ni un instante que aquella mujer era soltera, (¿quién iba a casarse con ella?) "Esta criatura" pensó "se ha hecho para mí expresamente, y si no me caso con ella habré de arruinarme o morir." Por desgracia, al terminar la misa, vió también a la niña de la fuente, y no hay que decir que ésta, con su ropa de domingo y su risueño rostro, le dejó tonto. Pero el destino le obligaba a beber veneno, y Sebastián, haciendo un supremo esfuerzo, y con gran sorpresa de la aldea, pidió la mano de la tuerta, encargó su traje de boda, dispuso la ceremonia y avisó al cura.

Sucedió que la víspera del día señalado, estando Sebastián a la puerta de su casa, que iba a transformar en palacio, vió otra vez a la niña de la fuente, que pasaba descalza y con el jarro en la cabeza. La llamó, sin saber para qué, y al verla junto a él, le pareció tan linda, que le tomó una mano y la besó, como haría algún galán del teatro antiguo. Rióse la niña, turbóse el indiano, hubo palabras, preguntas, exclamaciones; vino la noche, salió la luna, y el diálogo seguía. . .

—Padre—decía Sebastián al cura la mañana siguiente—yo no puedo casarme con *aquélla*, porque anoche soñé que era un dragón y que me comía. Puede creerme, que lo soñé.

—No me admiro de eso—respondió el cura de modo muy natural.—Ella dragón no será, pero se le parece mucho.

---

arruinarse, to be ruined
descalzo, -a, barefoot
turbarse, to become confused
veneno, *m.* poison
víspera, *f.* eve

de nariz roma, flat-nosed
Ella . . . se le parece mucho, She is not a dragon perhaps . . . but she resembles one

—Lo malo es que he hecho voto. A usted, ¿qué le parece? Si le regalo la mitad de mi fortuna a esa fiera, ¿quedaré libre?

—Aunque no le regale usted sino la décima parte. . . ¡Con dos reales que le dé basta!

Sin duda el cura no era tan supersticioso como Sebastián, pues éste, a pesar de la absolución, antes de casarse con la niña de la fuente dió a la fea la mitad de su dinero. Sabido esto, no quedó mozo en el pueblo que no le pidiera su *linda* mano; pero ella, aprovechando la lección que acababa de aprender, los mandó a todos a paseo.

COMPREHENSION

Make the following sentences read correctly by changing one word: 1. Sebastián salió de su pueblo cuando era viejo. 2. Llevaba mucho equipaje. 3. Por fin llegó a ser dependiente de una gran casa de comercio. 4. Después de cincuenta años volvió a su país. 5. Empezó a tener miedo porque había tenido tan mala suerte. 6. Hizo el voto de casarse con la soltera más pobre de su aldea. 7. Llegó al pueblo por la mañana. 8. Una joven que vió junto a la fuente le dió un poco de café. 9. Al día siguiente vió en la plaza la mujer más fea de de la aldea. 10. Estaba seguro que ella sería casada. 11. Pidió su mano e hizo los preparativos para la misa. 12. Sin embargo se había enamorado de la chica de la iglesia. 13. Fué a pedir consejo al abogado de la aldea. 14. Se casó con la fea.

FOR STUDY

1. *Translate:* suelen pasearse, dispuso, hubo preguntas, se propuso, rióse, envuelta, haría, para que sirva, no quedó mozo que no la pidiera.

Lo malo es, The trouble is
Con dos reales . . . basta, If you give her a dime it will be enough
los mandó todos a paseo, gave them all the cold shoulder

2. *Translate:* en efecto, otra vez, tienen miedo, junto al río, al día siguiente, no se casará con ella, a menudo, en cambio, por desgracia, por último.

3. *Supply the word needed to complete each series. Example:* ayer, hoy, mañana. 1. acostarse, ____, soñar. 2. dependiente, socio, ____. 3. domingo, ____, martes. 4. ____, tarde, noche. 5. embarcarse, ____, llegar. 6. ____, vivir, morir. 7. principio, medio, ____. 8. soltera, ____, viuda. 9. trabajar, cansarse, ____. 10. tres, treinta, ____.

TEMPRANO Y CON SOL

El empleado que vendía los billetes en la Estación del Norte no pudo contener un movimiento de sorpresa cuando la infantil vocecita pronunció, en tono imperativo:

—¡Dos de primera . . . a París! . . .

Sacando la cabeza por la ventanilla vió que quien pedía los billetes era una niña de doce a trece años, muy bien vestida, y luciendo un lindo sombrero blanco que le caía divinamente bien. Cogido de la mano traía la señorita a un caballerito que representaba la misma edad poco más o menos, y que también parecía pertenecer a muy distinguida clase y a muy rica familia. El chico parecía estar asustado; la niña alegre, con nerviosa alegría. El empleado sonrió, y murmuró como quien da algún paternal consejo:

—¿Directos o hasta la frontera? Hasta la frontera . . . son ciento cincuenta pesetas, y. . .

—Ahí está el dinero—contestó la intrépida señorita, dándole unos billetes.

El empleado volvió a sonreír al contar la suma y dijo:

—Aquí no tenemos bastante.

—Son quince duros—exclamó la chica.

—Pues no alcanza. . . Y si no me creen ustedes, pregunten a sus papás.

Al decir esto el empleado, el chico se puso colorado;

Dos de primera, Two first-class tickets
que le caía divinamente bien, which was very becoming to her
como quien da, like one giving
¿Directos o hasta la frontera? Through to Paris or just to the frontier?
Pues no alcanza, Well, it is not enough
se puso colorado, blushed

pero ella, golpeando el suelo con el zapato en señal de inquietud, gritó:

—¡Bien . . . pues entonces . . . un billete más barato!

—¿Cómo más barato? ¿De segunda? ¿De tercera? ¿A una estación más próxima? ¿Escorial? ¿Avila?

—¡Avila, sí. . . Avila!—respondió ella con energía.

Dudó el empleado un momento; al fin se encogió de hombros y tendió los dos billetes. Sonó la campana; entraron los chicos en el primer vagón que vieron, sin pensar en buscar un departamento donde fueran solos; y con gran sorpresa de otro viajero que estaba dentro se cogieron las manos y comenzaron a bailar.

¿Cómo empezó aquella gran pasión? Principió del modo más sencillo del mundo. Ambos eran coleccionistas. ¿De qué? De sellos de correo. Sin que yo niegue que ésta puede ser también afición de muy graves personajes, la verdad es que es más común entre los chicos de diez a quince años.

El papá de Finita y la mamá de Currín (así se llamaban los fugitivos enamorados) ni siquiera se visitaban, a pesar de vivir en el mismo edificio. Currín y Finita, en cambio, se encontraban a menudo en la escalera, cuando él iba a su clase y ella salía para su colegio. Nunca se habían hablado, pero una mañana, al bajar la escalera, Currín notó que Finita llevaba bajo el brazo un objeto, un gran libro que él conocía muy bien, pues lo había admirado muchas veces en una tienda, camino de la escuela. "Mamá debería comprarme un álbum como ése" se dijo tan pronto

---

afición, *f.* hobby
coleccionista, *m.* collector
golpear, to tap
inquietud, *f.* uneasiness
zapato, *m.* shoe

¿Cómo más barato? What do you mean, cheaper?
¿De segunda? ¿De tercera? Second-class? Third-class?
Sin que yo niegue . . . muy graves personajes, Without denying that this may also be a hobby of serious people
camino de la escuela, on the way to school

como lo vió. "Sí, en cuanto me examine y salga bien. . . ¡El mío es pequeñito y feo!" De esto a rogar a Finita que le enseñara su magnífico álbum de sellos, no había más que un paso. Finita accedió y pronto se hicieron grandes amigos.

—Esta página es del Perú. . . Mira los sellos de las islas Hawaí. . . Tengo la colección completa. . .

—¿Cuántos sellos tienes?—le preguntaba Currín a Finita.

Loco de alegría tocaba con los dedos y miraba los rostros aristocráticos de las dinastías sajonas; los perfiles de los presidentes de las repúblicas de América; el monarca español, con su redonda cara de bebé; los sellos chinos y su dragón; los turcos y su cimitarra; los preciosos sellos de Terranova, con la carita ideal del príncipe de Gales, y los de las colonias británicas, en que la abuelita Victoria aparece de emperatriz. . . Currín saltaba de alegría cuando reconocía algunos de los sellos que él también poseía.

—¡Ay! ¡Ay! ¡Caracoles, qué bonito! Este no lo tengo yo. . .

Por fin, al llegar a uno muy raro, el de la república de Liberia, no pudo contenerse:

—¿Me lo das?

—Toma—respondió con alegre gesto Finita.

—Gracias, hermosa—contestó el galán.

Ella se puso colorada al oír la frase, y él notó entonces que era muy linda.

---

bebé, *m.* baby
¡Caracoles! Gosh!
cimitarra, *f.* scimitar
sajón, -a, Saxon
turco, -a, Turkish

en cuanto me examine y salga bien, as soon as I pass my examinations
De esto a rogar . . . no había más que un paso, From this it was only a step to ask Finita to show him

—¿Sabes que te he de decir una cosa?—murmuró el chico.

—Pues dímela.

—Hoy no.

La criada que acompañaba a Finita a la escuela había mostrado hasta aquel instante risueña tolerancia; pero viendo que los chicos no terminarían nunca, tuvo que intervenir:

—Mademoiselle, s'il vous plaît—que significaba: "Hay que ir al colegio."

Currín se quedó admirando su sello . . . y pensando en Finita. Era Currín un chico de carácter dulce. Le gustaba leer dramas tristes y novelas de aventuras extraordinarias, y aprendía muchos versos de memoria. Siempre estaba pensando que le iba a suceder algo extraño y maravilloso. De noche soñaba mucho, y con cosas del otro mundo o con algo de lo que había leído. Desde que coleccionaba sellos, soñaba también con viajes de circunnavegación y con países lejanos. Aquella noche hizo dormido un viaje a Terranova, al país de los sellos hermosos. Por aquellas playas Finita y él se paseaban muy alegres cogidos del brazo. . .

Al día siguiente, nuevo encuentro en la escalera. Currín traía algunos de sus sellos para darlos a la chica. En cuanto la dama vió al galán, sonrió y se acercó con misterio.

—Aquí te traigo esto . . . —dijo él.

Finita puso un dedo sobre los labios, para indicar al chico que la criada los oía, pero cuando Currín le entregó los sellos ella quedó, al parecer, algo disgustada. Sin duda

---

coleccionar, to collect

playa, *f.* shore

¿Sabes que te he decir una cosa? Do you know there is something I must tell you?

Mademoiselle, s'il vous plaît, If you please, Miss

de memoria, by heart

hizo dormido, he made in his sleep

esperaba otra cosa; y acercándose entonces a Currín le dijo entre dientes:

—Y . . . ¿y aquello?

—¡Aquello. . . ?

—Lo que me ibas a decir ayer. . .

Currín suspiró, se miró a los zapatos, y al fin dijo:

—No era nada. . .

—¿Cómo nada?—respondió la niña muy seria.—¿Nada, eh?

Currín se puso entonces muy cerquita del oído de la niña, y murmuró suavemente:

—Sí, era algo. . . Quería decirte que eres . . . ¡más guapita!

Y espantado, echó a correr escalera abajo.

Al fin de la semana eran novios en regla. La criada no hacía caso, creyendo que allí se hablaba de sellos, y aprovechaba la ocasión para hablar con el cocinero. . .

Cierta tarde vió el portero a la señorita Finita, que salía sola, con una pequeña maleta en la mano. ¿Y no era aquél que iba detrás el señorito Currín? ¿Y no se subían los dos a un coche? ¡Jesús, María y José! ¡Pero cómo están los tiempos! ¿Y adónde irían? ¿Daría o no daría la noticia a los padres?

—Oye—decía Finita a Currín apenas el tren se puso en marcha. —Avila, ¿cómo es? ¿Muy grande? ¿Bonita lo mismo que París?

---

maleta, *f.* valise

portero, *m.* doorman, janitor

¿Cómo nada? What do you mean, nothing?
muy cerquita, real close
¡más guapita!, so cute!
echó a correr escalera abajo, he began running down the stairs
en regla, officially
no hacía caso, paid no attention
apenas el tren se puso en marcha, the moment the train started

—No—respondió Currín con cierta pena. —Debe de ser un pueblo de pesca.

—Pues entonces . . . no conviene quedarse allí. Hay que seguir a París. Yo quiero ver París de todos modos y también las Pirámides de Egipto.

—Sí . . . —murmuró Currín,—pero . . . ¿dónde está el dinero?

—¿Dinero?—contestó Finita. —¡No seas tonto! ¡Se pide prestado!

—¿Y a quién?

—¡A cualquiera!

—No es necesario. Yo tengo reloj que empeñar. Empeño además el sobretodo nuevo: no lo necesito.

—Y yo escribiré también a papá que nos envíe una letra. Papá las envía cada día a París y a todas partes.

—Tu papá y mi mamá estarán esperándonos para darnos una paliza.

—Pues empeña el reloj, y en paz. . . Mientras tanto ¡vamos a divertirnos en Avila! Iremos al café . . . al teatro . . . y al paseo. . .

Cuando oyeron gritar "¡Avila! ¡Veinticinco minutos!" saltaron del tren, pero al entrar en la estación se miraron sin saber qué hacer.

—¿Por dónde se va a Avila?—preguntó Currín a un mozo, pero éste, viendo a dos niños solos y sin equipaje, se encogió de hombros, sonrió y se alejó.

El instinto condujo a los dos chicos a una puerta, donde entregaron sus billetes. Entraron luego en un coche y

---

equipaje, *m.* baggage
pesca, *f.* fishing
paliza, *f.* beating
Debe de ser un pueblo de pesca, It must be a fishing town
no conviene quedarse allí, we must not stay there
¡Se pide prestado! We can borrow it!
Pues empeña el reloj, y en paz . . ., Pawn your watch, then, and that's all there is to it
¿Por dónde se va a Avila? How do you get to Avila?

empezaron a pasear por la ciudad, aunque el paseo no les duró mucho.

Acababa de recibir el alcalde de Avila un telegrama urgentísimo de Madrid, pidiendo la captura de los dos niños, la cual se verificó dos horas después. Los fugitivos fueron llevados a Madrid, y al instante internados en sus respectivos colegios.

Con motivo del suceso se conocieron el papá de Finita y la mamá de Currín, se visitaron a menudo para informarse del progreso que hacían los chicos y hasta terminaron por enamorarse.

Algún tiempo después salían para París a celebrar su luna de miel.

COMPREHENSION

Supply the word necessary to complete correctly each of the following sentences: 1. Finita era una niña de ____ a ____ años. 2. Currín era un niño de la ____ edad. 3. Vivían en el mismo ____. 4. Se encontraban muchas veces en la ____. 5. Un día Currín notó que Finita llevaba un gran álbum de ____. 6. Finita le regaló uno, y los dos se hicieron grandes ____. 7. Una tarde el ____ de la casa vió salir a los dos chicos. 8. Finita llevaba una ____. 9. En la estación pidió dos ____ de primera para París. 10. Como no tenía más que quince duros, sacó billetes para ____. 11. Al llegar a Avila, le preguntaron a un ____ por dónde se iba a la ciudad. 12. Luego tomaron un ____ para pasearse. 13. Los padres enviaron un telegrama al ____ de Avila. 14. Los niños fueron llevados a Madrid y devueltos a sus ____. 15. Los ____ de los niños se enamoraron. 16. Fueron a pasar su ____ en París.

---

verificarse, to take place

luna de miel, honeymoon

FOR STUDY

1. *Translate:* a menudo, no hacía caso, ¿qué importa?, soñé con él, lo sé de memoria, el sombrero te cae bien, al instante, en cuanto llegue, con misterio, con orgullo.

2. *Diminutives are translated in many ways. Read each one given in* a *with its translation in* b.

a. la abuelita, un caballerito, cerquita del fuego, eres más guapita, Finita, busqué el papelito, mi casa es pequeñita, la señorita, miré por la ventanilla, oí una vocecita.

b. Granny, I looked out of the window (train or car), Josie, I heard a little voice, my house is awfully small, I looked for the slip of paper, real close to the fire, you are so cute, a young gentleman, the young lady.

EL PREMIO GORDO

En tiempo de Godoy, la fortuna de los Torres-Nobles de Fuencar se contaba entre las más grandes de la monarquía española. Sin embargo, los malos tiempos que siguieron y la conducta del último marqués de Torres-Nobles, que dió mucho que hablar en la corte, la redujeron considerablemente. En vista de esto el marqués adoptó la resolución de retirarse a su hacienda de Fuencar, única propiedad que le quedaba. Allí se dedicó exclusivamente a cuidar de su cuerpo, no menos arruinado que su casa; y como Fuencar le producía aún lo bastante para vivir bien, organizó su servicio de modo que ninguna comodidad le faltase. Tenía un capellán que le decía la misa los domingos, que jugaba a las cartas con él y que le leía los periódicos; un capataz que se encargaba de las tierras y de la cosecha; un cochero gordo que entendía bien las dos mulas de su coche; una hábil ama de llaves; un ayuda de cámara traído de Madrid, discreto y puntual; y por último, una cocinera limpia, cuyos guisos satisfacían el estómago sin irritarlo. Con tan buen servicio, la casa del marqués marchaba como un reloj, y el señor se alegraba cada vez más de haber venido a Fuencar. En pocos meses era otro hombre. Andaba mucho, comía bien, dormía como un niño, y no se irritaba por nada. Si él

---

arruinado, -a, ruined
lo bastante, enough
comodidad, *f.* comfort
estómago, *m.* stomach
guisos, *m.* cooking
hábil, capable
propiedad, *f.* property

que dió mucho que hablar, caused a great deal of talk
de modo . . . le faltase, so that he might lack for nothing

vivía bien, no lo pasaban mal tampoco sus servidores. Para que no le dejasen les pagaba mejor que nadie en la provincia, y además les hacía a veces buenos regalos.

El mes de diciembre del año en que el marqués volvió a sus tierras hizo más frío de lo justo, y Fuencar se envolvió en un manto de nieve. Huyendo de la soledad de su gran despacho, el marqués bajó una noche a la cocina, y buscando con quien hablar, se acercó al fuego, se calentó la palma de las manos, se rió con los cuentos que con verdadera gracia referían los que estaban allí, y notó al mismo tiempo que la cocinera tenía muy bonitos ojos. Entre otras conversaciones más o menos rústicas que le divirtieron, oyó que sus criados, todos juntos, pensaban comprar un décimo en la lotería de Navidad.

Al día siguiente, muy temprano, mandaba un criado a la ciudad próxima, y cuando vino la noche el marqués bajó a la cocina mostrando unos papeles y anunciando a sus servidores que había comprado un billete entero y que les regalaba dos décimos, quedándose él con ocho. Al oír esto, hubo en la cocina una explosión de alegría; sólo el viejo pastor movió la cabeza, afirmando que el que jugaba con señores espantaba la suerte. El marqués al oír esto le condenó a no llevar parte en la lotería.

Aquella noche el amo no durmió tan bien como solía. El interés con que sus criados habían hablado del dinero que podría caerles le disgustaba.

—¡Esa gente—se decía—esperará sólo a llenar la bolsa para dejarme! ¡Y qué planes tenían! ¡Celedonio, el

---

bolsa, *f.* purse
calentar, to warm
no lo pasaban mal tampoco sus servidores, his servants didn't have a bad time either
hizo más frío de lo justo, it was colder than usual (than it should have been)
buscando con quien hablar, looking for someone to talk to
quedándose él con ocho, while he kept eight
que podría caerles, which they might win

cochero, habló de poner taberna . . . para beberse el vino sin duda! ¡Rita, el ama de llaves, sueña con establecer una casa de huéspedes! En cuanto a Jacinto, el ayuda de cámara, sabía que estaba enamorado de Pepa, la cocinera.

—En fin—se dijo—¿qué me importa todo ello? El premio gordo no nos ha de caer y así . . . tendrán que seguir sirviéndome.

Y al poco rato el señor dormía profundamente.

Dos días después era la lotería, y Jacinto, que era muy listo, buscó excusa para ir a la ciudad a comprar no sé qué. La noche caía, hacía frío, y Jacinto no volvía, a pesar de haber salido muy temprano.

Estaban los criados reunidos en la cocina, como siempre, cuando sintieron pasos de caballo, y a poco la voz de Jacinto, que entraba sin aliento. El muchacho temblaba, estaba pálido.

—¡El premio gordo!—exclamó por fin con voz llena de emoción.

Hallábase el marqués en su despacho, fumando un enorme cigarro, mientras el capellán le leía los periódicos. De repente, suspendiendo la lectura, prestaron oído al ruido que venía de la cocina. Al principio les pareció que los criados disputaban, pero después de escuchar un rato, se convencieron de que eran voces de alegría exagerada. El capellán bajó a informarse de lo que ocurría y a imponer silencio. No tardó tres minutos en volver al despacho, y dejándose caer sobre el sofá, exclamó:

—¡Me ahogo!

Corrió a su lado el marqués, y abanicándole el rostro con un periódico le oyó decir en voz muy débil:

---

abanicar, to fan
fumar, to smoke
lectura, *f.* reading

habló de poner taberna, spoke of opening up a tavern
a poco, soon after
prestaron oído, they stopped to listen

—El premio gordo . . . nos ha tocado el premio gordo.

Saltó hasta la cocina el marqués y llegando a la puerta se detuvo a mirar la extraña escena que allí se representaba. Celedonio y Rita bailaban, saltando como locos; Jacinto abrazaba una silla y la besaba tomándola sin duda por su novia; Pepa hacía música hiriendo la sartén con un cuchillo; y el capataz, tendido en el suelo, gritaba salvajemente: "¡Viva la Virgen!"

Apenas vieron al marqués, aquellos locos se lanzaron a él sin el menor respeto; y sin que pudiera evitarlo, lo alzaron hasta el techo y cantando y bailando lo pasearon por toda la cocina. El capataz, presentándole una botella de vino, se empeñaba en que bebiera con él. ¡Aquella gente estaba loca!

Por fin el marqués se refugió en su despacho y llamó al capellán para quejarse de la conducta de los criados. Pero con gran sorpresa vió que también el capellán se ponía el sombrero y salía envuelto en su sobretodo.

—¿Adónde va usted, Calixto, hombre de Dios?—exclamó el marqués admirado.

—Pues, con su licencia, me voy a Sevilla a ver mi familia, a darle la noticia, y a cobrar en persona mi parte.

—¿Y me deja usted ahora? ¿Y la misa? Y. . .

En esto asomó por la puerta el ayuda de cámara. El también se marchaba a recoger lo que le tocaba. El marqués alzó la voz, diciendo que era preciso tener el diablo en el cuerpo para irse a tal hora y con tanto frío, a lo cual respondieron ambos que a las doce pasaba el tren y que la estación no estaba lejos. Ya abría el marqués la boca

---

licencia, *f.* permission
salvajemente, savagely
sartén, *f.* frying pan

nos ha tocado, we have won
hombre de Dios, man alive
era preciso . . . con tanto frío, one must be possessed by a devil to leave at such an hour and in such cold weather

para decir: "Celedonio se quedará, porque hace falta aquí," cuando a su vez apareció en la puerta la redonda y fea cara del cochero, que sin pedir permiso y con la burla pintada en los labios, venía a despedirse de su amo.

—¿Y las mulas?—gritó el marqués. ¿Y el coche, quién lo guiará, vamos a ver?

—Mi sucesor—respondió el cochero volviendo la espalda y dejando paso a Rita, que entró risueña, agitando las llaves, y diciendo:

—Sepa el señor marqués que ésta es de la despensa . . . ésta del armario . . . ésta del. . . .

—¡Al demonio contigo, bruja del infierno! Ahora quieres tú que yo saque el tocino y los garbanzos, ¿eh?

No oyó Rita el final de la imprecación: tirando las llaves sobre una mesa salió cantando, seguida de los demás, y tras ellos el marqués, que los siguió furioso a través de las habitaciones y estuvo a punto de alcanzarlos en la cocina. No se atrevió, sin embargo, a salir al patio porque hacía demasiado frío. A la luz de la luna los vió alejarse. Miró con dolor la cocina abandonada, el fuego del hogar que se apagaba, la mesa no servida y las habitaciones en desorden. En esto oyó ruido en un rincón . . . y al pie de la chimenea vió, durmiendo a pierna suelta, al viejo pastor que no había querido espantar la suerte.

A la mañana siguiente el pastor hizo para su amo un ligero desayuno, y a la hora de costumbre, comida y cena. Así pudo el noble señor de Torres-Nobles comer caliente el primer día que despertó millonario.

---

bruja, *f.* witch
chimenea, *f.* fireplace
despensa, *f.* pantry
garbanzo, *m.* chick-pea
hogar, *m.* fireplace
imprecación, *f.* curse
rincón, *m.* corner
tocino, *m.* bacon

hace falta aquí, he is needed here
dejando paso, giving way
durmiendo a pierna suelta, fast asleep
comer caliente, to have a hot meal

Excusado es decir que el marqués, otra vez millonario, se volvió a Madrid, nombrando heredero al viejo pastor, único criado que le había sido fiel.

COMPREHENSION

Supply the noun necessary to complete correctly each of the following sentences: 1. El marqués se retiró a su ____. 2. Su ____ le decía misa los domingos. 3. Su ____ se encargaba de las tierras. 4. Su ____ guiaba el coche. 5. Su ____ cuidaba de la casa. 6. Su ____ preparaba las comidas. 7. Su ____ cuidaba de su persona. 8. Una noche el marqués bajó de su ____ a la ____. 9. Los criados pensaban comprar un ____. 10. Al día siguiente el marqués les dió dos ____. 11. Todos los criados llevaban parte menos el viejo ____. 12. El cochero quería dinero para poner una ____. 13. El ama de llaves quería establecer una ____. 14. El ayuda de cámara quería casarse con la ____. 15. Dos días después todos supieron que les había tocado el ____. 16. El capellán se puso el ____ y el ____, y partió para Sevilla. 17. El ama de llaves salió con los otros después de dejar las ____ de la casa. 18. A la luz de la ____ el marqués los vió alejarse. 19. El único que quedaba fué el viejo ____. 20. Por eso el marqués le hizo su ____.

FOR STUDY

1. *Translate:* a veces, al principio, por último, en fin, lo encuentro cada vez más difícil, jugábamos a la pelota, me alegro de eso, soñé contigo, me quedé con el libro, solía acostarse temprano.

2. *The following words, although related in meaning to the English words which they most resemble, have different*

---

heredero, *m.* heir

Excusado es decir, It goes without saying

meanings. Translate them, consulting the final vocabulary when necessary: bala, colegio, comodidad, desgracia, despacho, éxito, firma, habitación, largo, lectura, pastor, preciso, suceder.

For discussion (after reading *El décimo*, *El voto*, *Temprano y con sol* and *El premio gordo*)

What indication of feminine authorship do you find in Pardo Bazán's stories? Which one shows it the most? In what class of society is she most interested? The basic events of *Elizabide el Vagabundo* and *El voto* are the same. What makes the two stories so different? Do you like Pardo Bazán's stories more or less than the preceding ones? Why?

RUBÉN DARÍO

[1867–1916]

RUBÉN DARÍO'S poetry is the finest written in Spanish during his time, and his influence upon the poetry of his contemporaries has been incomparably greater than that of any other person. His life shows how well genius finds its way. He was born in a village of Nicaragua—a real American, for he had Indian blood. His life was sad from the start, for his father and mother separated soon after he was born, and he was brought up by some great-aunts, who were kind to him but could not take the place of his parents. He composed his first verses at the age of eleven, and he was soon filling orders for obituary notices in verse given him by acquaintances. Before long he became known throughout Central America as the *poeta-niño*.

Darío's first acquaintance with sophisticated literary circles came to him when, at the age of nineteen, he went to work on a paper in Santiago de Chile. His early volume of prose and poetry entitled *Azul* was published at that time, and as a consequence of the fame it brought him he became, and continued to be throughout his life, a correspondent of the great Buenos Aires paper, *La Nación*, which provided him with a livelihood when everything else failed. The assignment which sent him to Spain in 1892 had far-reaching consequences: he met the Spanish poets of the day, and from the interaction of their inspiration and his, the poetic movement called modernism got under way.

Darío was destined to be a wanderer. The death of the wife whom he loved deprived him once more of a home, and he spent the rest of his life going from one country to another, on this mission or that, sadly dissipating his energies. His last illness came upon him while he was lecturing in the United States, and he returned to Nicaragua only to die.

Darío's three most important books are *Azul* (1888), *Prosas profanas* (1896) and *Cantos de vida y esperanza* (1905). They show the development of the elements which characterize modernism in poetry: originality of metrical forms, stressing of musical sound, and the all-importance of imagery and allusion.

Darío was a cosmopolite who took beautiful things wherever he found them and transformed them into something new. His work contains reminiscences of Greek poetry, the *Arabian Nights*, Shakespeare, Spanish classical writers, French moderns, yet it is entirely his own. To the end of his life he continued his search for the rare and precious; on the last page that he ever wrote he spoke of the universe as the great jewel case of the Creator.

LA MUERTE DE LA EMPERATRIZ DE LA CHINA

Delicada y fina como una joya humana, vivía aquella linda niña en la pequeña casa que tenía un saloncito con tapices azules como el cielo.

¿Quién era el dueño de aquella graciosa criatura, de ojos negros y boca roja? ¿Para quién cantaba su canción divina, cuando la primavera mostraba su bello rostro riente, y abría las flores del campo? Suzette se llamba la niña y Recaredo su joven esposo, artista soñador.

El era escultor. En la pequeña casa tenía su estudio,

---

emperatriz *f.* empress
escultor, *m.* sculptor
riente, laughing
soñador, -a, dreamer
tapiz, *m.* tapestry

lleno de mármoles, yesos, bronces y terracotas. A veces, los que pasaban oían a través de las ventanas el doble sonido de un martillo y una voz, al que se mezclaban las carcajadas del mirlo, un mirlo enjaulado que cuando ella se sentaba al piano, dejaba de cantar. ¡Las carcajadas del mirlo! No era poca cosa.

¿Me quieres? . . .

¿No lo sabes? . . .

¿Me amas? . . .

¡Te adoro! . . .

Ya estaba el pájaro echando toda la risa por el pico. Le sacaba ella de la jaula, volaba por el saloncito azul. Tiiiiiirt . . . rrrrrtch fiii. . . ¡Vaya, que a veces era malcriado e insolente en su lengua original! Pero todo se lo perdonaba Suzette, que le mimaba, y le decía con voz llena de dulzura: —¡Señor Mirlo, es usted un picarón!

Recaredo amaba su arte. Tenía la pasión de la forma; sacaba del mármol gallardas diosas de ojos blancos, serenos y sin pupilas, gárgolas terroríficas, grifos de largas colas. En su estudio estaba, en fin, todo el mundo gótico de los románticos. Sin embargo, aún mayor era su pasión por lo oriental. Recaredo en esto era original. No sé qué habría dado por hablar chino. Gastaba cuanto tenía comprando objetos importados de la China: cuchillos, pipas, máscaras feas y misteriosas, enanos con enormes

cola, *f.* tail
enano, *m.* dwarf
enjaulado, -a, caged
gallardo, -a, graceful
gárgola, *f.* gargoyle
grifo, *m.* griffin
mármol, *m.* marble (statue)
martillo, *m.* hammer
mimar, to spoil
picarón, *m.* rascal
yeso, *m.* plaster cast

No era poca cosa, It was no small thing
Ya estaba . . . por el pico, And the blackbird laughed to his heart's content
¡Vaya . . . en su lengua original! Indeed, sometimes he was ill-bred and insolent in his own tongue!

panzas y ojos circunflejos, monstruos de grandes bocas abiertas, y diminutos soldados de Tartaria.

—¡Oh—le decía Suzette—detesto tu terrible estudio, porque lo quieres más que a mí.

El sonreía, interrumpía su labor, y corría al pequeño salón azul, a alegrarla y a oír cantar y reír al loco mirlo jovial.

Una mañana que entró a darle una noticia vió que estaba tendida, cerca de un tazón de rosas sostenido por un trípode. Parecía la Bella del Bosque Durmiente, con su bata blanca, y el pelo castaño sobre los hombros. Era como una de aquellas figuras de los cuentos de niños que empiezan: "Esta era una reina. . ."

La despertó.

—¡Suzette, Suzette! Carta de Robert, Suzette. ¡El chico está en la China!

Suzette se levantó y le quitó el papel. ¡Conque había llegado tan lejos! "Hong Kong, 18 de enero. . ." ¡Qué gracioso! ¡Un excelente muchacho, con la manía de viajar! Llegaría al fin del mundo. ¡Robert era un gran amigo! Era como de la familia. Había partido hacía dos años para San Francisco de California. ¡Habríase visto loco igual!

Comenzó a leer:

"Hong Kong, 18 de enero.

Mi buen Recaredo:

Vine y vi, pero no he vencido aún.

En San Francisco supe vuestro matrimonio y me alegré. Dí un salto y caí en la China. He venido como agente de una casa californiana, importadora de

---

bata, *f.* robe
castaño, -a, brown
panza, *f.* paunch

la Bella del Bosque Durmiente, the Sleeping Beauty
Esta era una reina, Once upon a time there was a queen
¡Habríase visto loco igual! Was there ever such a crazy fellow!

sedas, marfiles y demás chinerías. Junto con esta carta recibirás un regalo mío que, dada tu afición por las cosas de este país, maravilloso sé que te gustará. Ponme a los pies de Suzette, y guarda el regalo en memoria de tu

Robert"

Ni más ni menos. Ambos soltaron la carcajada. El mirlo los acompañó con una explosión de sonidos musicales.

El regalo había llegado. Era una caja de gran tamaño, llena de números y de letras que daban a entender que el contenido era muy frágil. Cuando la abrieron, apareció el misterio. Era un fino busto de porcelana, un admirable busto de mujer sonriente, pálida y encantadora. En la base tenía tres inscripciones, una en caracteres chinos, otra en inglés y otra en francés: *La emperatriz de la China.* ¡La emperatriz de la China! ¿Qué manos de artista asiático habrían modelado aquellas formas tan misteriosas y atrayentes? Era una cara enigmática, con ojos extraños, de princesa oriental, sonrisa de esfinge, alto cuello sobre hombros cubiertos de seda bordada de dragones, todo hecho de porcelana blanca. ¡La emperatriz de la China! Suzette pasaba sus dedos de rosa sobre los ojos de aquella graciosa soberana. Recaredo sentía orgullo de poseerla. La pondría en un lugar especial, para que viviera y reinara sola.

En efecto, en un rincón de su estudio le construyó un nicho en el que predominaba la nota amarilla. En el centro, sobre un pedestal dorado, se alzaba la exótica

---

afición, *f.* fondness
atrayente, fascinating
contenido, *m.* contents
chinería, *f.* Chinese *objet d'art*
esfinge, *f.* Sphinx
marfil, *m.* ivory
seda, *f.* silk
soberano, -a, sovereign
tamaño, *m.* size

Ambos soltaron la carcajada, Both of them burst out laughing

figura. Alrededor de ella había colocado Recaredo todas sus curiosidades orientales. La cubría un quitasol pintado de camelias y de anchas rosas sangrientas. El joven artista, después de dejar su labor, llegaba frente a la emperatriz, con las manos cruzadas sobre el pecho, a saludarla. En un plato le ponía flores frescas todos los días. Sentía un verdadero éxtasis ante ella. Estudiaba sus menores detalles: el cabello, los labios, los ojos. ¡Un ídolo era ya para él la emperatriz oriental! Suzette le llamaba desde lejos:

—¡Recaredo!

—¡Voy!—contestaba, y seguía en la contemplación de su obra de arte hasta que la muchacha lo sacaba a la fuerza del estudio.

Un día las flores del plato desaparecieron.

—¿Quién ha quitado las flores?—gritó Recaredo desde su estudio.

—Yo—respondió Suzette con enojo.

Allá, en lo hondo de su cerebro, se preguntaba el artista: «¿Qué tendrá mi mujercita?» La veía contrariada. En la mesa no quería comer. Estaba seria. ¿Qué sería?

Recaredo no tardó en comprender: ¡Suzette tenía celos! Convencido de ello una tarde dijo a la muchacha, de su corazón estas palabras, frente a frente, a través del humo de una taza de café:

—Eres demasiado injusta. ¿Acaso no sabes leer en mis ojos lo que hay dentro de mi corazón?

Suzette se echó a llorar. El ya no la amaba. Habían huído para siempre las dulces y radiantes horas. La había dejado por la otra.

¡La otra! Recaredo dió un salto. Estaba engañada.

---

cerebro, *m.* brain, mind
contrariado, -a, vexed, disappointed
enojo, *m.* annoyance
éxtasis, *m.* ecstasy
quitasol, *m.* parasol
sangriento, -a, blood-red

¿Lo diría por la rubia Eulogia, a quien en un tiempo había escrito poemas? Ella movió la cabeza:

—No.

¿Por la rica Gabriela, de largos cabellos negros, blanca como la nieve y cuyo busto había hecho? ¿Por Luisa, la danzarina de ojos incendiarios? ¿O quizá por la viudita Andrea, que al reír dejaba ver la punta de la lengua entre sus diminutos dientes?

No; no era ninguna de ésas. Recaredo se quedó confuso.

—Mira, chiquilla, dime la verdad. ¿Quién es ella? Sabes cuánto te adoro, amor mío. . .

Había tanta verdad en aquellas palabras que Suzette, aunque llorando, se animó a decirle:

—¿Me amas?

—¡Bien lo sabes!

—Deja, pues, que me vengue de mi rival. Ella o yo: escoge. Si es cierto que me quieres, ¿me permitirás que la aparte para siempre de tu camino?

—Sí—dijo Recaredo. Y viéndola dejar la sala, siguió tomando su café.

Apenas hubo acabado, cuando oyó un gran ruido en el estudio. Se levantó, y sin perder tiempo, entró en el cuartito de la emperatriz.

¿Qué miraron sus ojos? El busto había desaparecido del pedestal de oro, y por el suelo se veían pedazos de porcelana que crujían bajo los pequeños zapatos de Suzette, quien toda encendida y con el cabello suelto, decía al maridito asustado:

—¡Estoy vengada! ¡Ha muerto ya la emperatriz de la China!

---

crujir, to crackle
danzarina, *f.* dancer
encendido, -a, flushed
incendiario, -a, burning
rubio, -a, fair

¿Lo diría por? Could she be talking about?
dejaba ver, showed
Deja . . . que me vengue, Let me avenge myself

Y cuando llegó el momento de la reconciliación, en el saloncito azul, todo lleno de regocijo, el mirlo, en su pequeña jaula, se moría de risa.

COMPREHENSION

1. ¿Dónde vivían el artista y su esposa? 2. ¿Cómo tenía ella los ojos? ¿la boca? 3. ¿Qué pájaro tenían enjaulado? 4. ¿Cuándo se ponía triste el pájaro? 5. ¿Qué música había en aquella casa? 6. ¿Qué objetos de arte le gustaban más a Recaredo? 7. ¿Qué noticia vino a darle a Suzette un día? 8. ¿De dónde escribía Robert? ¿Qué hacía allí? 9. ¿Qué resultó ser el regalo que enviaba? 10. ¿Cómo tenía la emperatriz la faz? ¿los ojos? 11. ¿Dónde colocó Recaredo el busto? 12. ¿Cómo adornó el rincón? 13. ¿Qué ponía allí todos los días? 14. ¿Qué cambio ocurrió en Suzette? 15. ¿Entre quiénes tuvo que escoger Recaredo? 16. ¿Qué hizo Suzette con el busto de la emperatriz?

FOR STUDY

1. *Translate:* en fin, al fin, por fin, ya no le veo, dejó de cantar, supo nuestra llegada, dió un salto, ¿tienes celos?, a través del continente, ¿qué tendrá?

2. *Translate:* es periodista, era arriero, soy comerciante, eres escultor.

---

regocijo, *m.* rejoicing

3. *Make complete sentences by matching the correct items from columns* a *and* b.

a.	b.
1. La camelia es	para trajes.
2. El cristal es	la base en que descansa una estatua.
3. La esmeralda es	del tronco del elefante.
4. El mármol es	una flor blanca o rosada.
5. El marfil viene	una joya roja.
6. La porcelana se usa	una joya verde.
7. Una máscara es	una piedra fina.
8. Un pedestal es	una substancia frágil y transparente.
9. El rubí es	una cara hecha de yeso o de bronce.
10. La seda se usa	para platos finos.

For discussion (after reading *La muerte de la emperatriz de la China*)

What conflict, frequent in human experience, is illustrated in this story? What elements in it show that the author is a poet? Mention all the details which indicate his cosmopolitan interests.

BLASCO IBÁÑEZ IN AMERICA

BLASCO IBÁÑEZ felt a strong interest in the New World. He first went to South America in 1909 on a lecture tour which took him to Argentina, Uruguay, Paraguay and Chile; thus he came to write about the southern half of the continent. The breadth and freedom of Argentina made such an appeal to his temperament that he founded two farming settlements there: one, which he called *Cervantes*, in southern Argentina, and another, which he called *Nueva Valencia*, in the north. He was obliged because of financial considerations to give them up, and in 1914 he returned to Europe. In 1919–1920, after his war novels had made him famous in the United States, he returned to lecture here.

So much did the Americas appeal to Blasco Ibáñez's imagination that he planned to write one novel for each of their countries. The first of this projected series, called *Los argonautas* (1916), deals with emigration to the New World in the sixteenth and twentieth centuries. Half of the action of *The Four Horsemen of the Apocalypse* (1916) takes place on the Argentine pampas, *El préstamo de la difunta* (1921) depicts life in western Argentina and Chile, and Argentina is the scene of *La tierra de todos* (1922). In *La reina Calafia* (1923) and *La vuelta al mundo de un novelista* (1924) Blasco gives his impressions of California, Cuba and Panama. Further than this his projected American series did not go.

The picture of South America presented by Blasco Ibáñez in *El préstamo de la difunta* complements that presented by Palma's *tradiciones* in time as well as in space. Palma paints the romantic past; Blasco, the dubious present. Palma's Peru is as Spanish as Spain. Blasco, seeking as always the underdog, is interested in the Indian who, beneath his veneer of Spanish culture, is actuated by the age-old impulses of his race. In our day the Indian cultures of America are being studied more and more, and there is more and more of a disposition to recognize the dignity of the Indian and the significance of his contribution to America. For this reason *El préstamo de la difunta* has a strong contemporary interest. The incoherent hopes and fears and struggles of the *mestizo* Rosalindo reach far beyond his pathetic story.

EL PRÉSTAMO DE LA DIFUNTA

I

Cuando los vecinos del pequeño valle andino supieron que Rosalindo Ovejero pensaba bajar a la ciudad de Salta para asistir a la procesión del célebre Cristo llamado "el Señor del Milagro," fueron muchos los que le buscaron para hacerle encargos piadosos.

Años antes, cuando los negocios marchaban bien, siempre había arrieros ricos en el valle que por entusiasmo religioso les pagaban el viaje a todos los pobres que desearan bajar a Salta a tomar parte en su fiesta religiosa. Acompañaba a los que en tal ocasión bajaban a la ciudad una mula ricamente ensillada sobre cuyo lomo iba una urna con la imagen del Niño Jesús, patrón del valle. Abandonando por unos días la ermita que le servía de templo, esta imagen figuraba entre las que precedían al Señor del Milagro, empeñándose los organizadores de la

ensillado, -a, saddled
ermita, *f.* shrine
préstamo, *m.* loan
piadoso, -a, pious
templo, *m.* shrine
fueron muchos . . . encargos piadosos, many people looked him up to give him pious errands

expedición en que venciera por sus ricos adornos a las demás imágenes.

El viaje a la ciudad sólo duraba dos días. Los vecinos del pequeño valle deseaban llegar cuanto antes para hacer triunfar a su pequeño Jesús. En cambio, el viaje de vuelta duraba unos veinte días, pues los devotos, orgullosos de su éxito, se detenían en todos los lugares del camino. Organizaban bailes, durante las horas de gran calor, que a veces duraban hasta medianoche, consumiendo en ellos grandes cantidades de bebidas alcohólicas. Los que sabían canciones propias de la ocasión las cantaban, acompañados de su guitarra, mientras los demás bailaban su media docena de bailes regionales.

Algunas veces, la alegría de este viaje se veía interrumpida por alguna pelea que hacía correr la sangre; pero nadie se asustaba, pues no es natural que una gente que siempre va con armas pueda vivir en común durante tantas semanas, bailando y bebiendo, sin que de vez en cuando haya cuchilladas.

Ahora, sin embargo, Rosalindo Ovejero era el único que deseaba seguir la tradición, bajando a la ciudad para acompañar al Señor del Milagro en su solemne paseo por las calles. Desde que anunció su viaje, la casa de adobes que le habían dejado sus padres empezó a recibir visitas. Las mujeres le contaban, sin omitir detalle, cómo con la promesa de asistir a la procesión del Cristo de Salta se habían curado con hierbas de la Cordillera. Ellas ya no podían hacer el viaje, como en otros años; pero esta vez Rosalindo iba a representarlas. Lo importante era pagar un cirio para la procesión.

—Toma, hijo, y compra uno de los más grandes—le decían las mujeres al entregarle un billete. —Te pido este favor porque fuí muy amiga de tu pobre mamá.

---

orgulloso, -a, proud **triunfar,** to triumph

Después iban llegando los hombres: pobres arrieros curtidos por los vientos glaciales de la Cordillera. Algunos, durante las grandes nevadas, habían quedado aislados meses enteros en cuevas y quebradas, teniendo que esperar la vuelta del buen tiempo, mientras a su lado morían los compañeros de hambre y de frío.

—Toma, Rosalindo, para que me lleves un cirio detrás del Señor. El y yo sabemos lo mucho que le debo.

Todos tenían una fe inmensa en este Cristo que había llegado al país poco después de los conquistadores, a través de las soledades del Pacífico, en una caja flotante, la cual fué a parar en un puerto del Perú. La imagen había escogido a Salta como punto de residencia, y desde entonces había hecho miles de milagros.

Pero las gentes sencillas de la Cordillera no aceptaban que esta divinidad omnipotente traída por los blancos pudiese vivir sola, y su imaginación había creado otras divinidades secundarias. Respetaban mucho al Cristo de Salta, pero les inspiraba más miedo la *Viuda del Farolito*, una bruja que se aparecía de noche, con una linterna en una mano, a los arrieros perdidos en los caminos. El que la encontraba debía hacer inmediatamente sus preparativos para irse al otro mundo, pues seguramente moriría dentro de un año.

Rosalindo Ovejero contó los billetes antes de salir de su casa. Eran catorce cirios los que debía llevar en la procesión. El solo podría llevar ocho, cuatro en cada mano, metidos entre los dedos. No dudó, sin embargo, que encontraría en los despachos de bebidas de Salta a alguien que quisiera encargarse de los demás.

Empezó su camino montado en un caballo que por el

---

aislado, -a, marooned
cueva, *f.* cave
curtido, -a, tanned
flotante, floating
nevada, *f.* snowstorm
preparativo, *m.* preparation
quebrada, *f.* ravine
soledad, *f.* solitude, waste

momento era toda su fortuna. Para representar dignamente a sus vecinos, pidió prestadas a un amigo unas grandes espuelas de plata que tenía. Su silla tenía a ambos lados unas alas fuertes de cuero, hechas para proteger las piernas del jinete. Se puso el menos viejo de sus ponchos, y un sombrero enorme, por debajo del cual se escapaba su largo y negro cabello.

Los dos orgullos de Rosalindo eran su nombre y su caballo. El nombre lo debía a su madre, mujer sentimental que había estudiado para maestra, llevando al pequeño valle andino el producto de sus románticas lecturas. Queriendo crear una generación de acuerdo con sus ideales poéticos, a él le dió el nombre de Rosalindo, a un hermano suyo que había muerto lo llamó Idilio, y a una hermana que estaba ahora en Bolivia la llamaba Zobeida, como la esposa del sultán de *Las mil y una noches*.

Rosalindo llegó a Salta el día mismo de la procesión. Era en septiembre, mes en que empieza la primavera en el hemisferio del sur, y las calles estaban llenas del perfume de las flores de sus viejos jardines. Tocaban las campanas en las torres de iglesias y conventos. Un regimiento de artillería colocado en Salta por el gobierno de Buenos Aires iba a acompañar al Señor del Milagro. Los frailes de los monasterios andaban por las calles y por la Plaza de Armas, rodeada de soportales lo mismo que una vieja plaza de España.

Rosalindo se presentó puntualmente en la iglesia a la hora de la procesión. Desfilaron primeramente las diversas imágenes de las otras aldeas, seguidas de sus devotos. Los hombres, al abandonar sus caballos, marchaban pesadamente, haciendo resonar a cada paso sus enormes espuelas. Con el sombrero en ambas manos

cuero, *m.* leather
desfilar, to pass
jinete, *m.* rider
puntualmente, punctually
resonar, to jingle
soportal, *m.* arcade

y la cabeza inclinada, seguían humildemente a sus imágenes. Confundidos entre ellos pasaban sus chiquillos envueltos en ponchos rojos y negros, y sus mujeres, que parecían estar vestidas de máscaras a causa de sus faldas de color rojo, verde, rosa y azul.

Las cofradías de la ciudad eran las que acompañaban al Cristo milagroso. Las señoritas de Salta iban de dos en dos, siguiendo las banderas y estandartes llevados por unos frailes ascéticos que parecían escapados de un cuadro de Zurbarán. Todas estas chicas aprovechaban la fiesta para lucir sus trajes primaverales, blancos, rosa, y azules. Cubrían su cabello con enormes sombreros de altas plumas; en una mano llevaban una vela sin encender y con la otra se recogían la falda. Todas alzaban la cabeza para recibir los saludos de la gente de los balcones, o acogían con ligera sonrisa las miradas de los jóvenes reunidos en las esquinas.

Detrás de la imagen desfilaba el ejército penitente de los que deseaban hacer pública su gratitud al Señor del Milagro por los favores recibidos. Eran *chinitas* de gracia juvenil, con una vela en una mano y un manto negro sobre la vistosa falda de anchos volantes. Por debajo del vestido aparecían sus pies desnudos, pues habían prometido al Cristo seguirle descalzas durante la procesión. Pasaban también viejas secas y rugosas, que suspiraban y derramaban lágrimas sin cuento. Y entre el mar de mujeres se veía a los gauchos de cabeza trágica, espesa barba y largo pelo.

---

acoger, to welcome
ascético, -a, austere
bandera, *f.* flag
cofradía, *f.* brotherhood
chinita, *f.* girl
chiquillo, *m.* child
desnudo, -a, bare
esquina, *f.* corner
estandarte, *m.* banner
primaveral, (of) spring
rugoso, -a, wrinkled
suspirar, to sigh
vistoso, -a, showy
volante, *m.* flounce

vestidas de máscaras, in fancy dress
una vela sin encender, an unlighted candle

Todos atendían a los cirios que llevaban, cuidando de que no se apagasen. Algunos llevaban hasta cuatro velas encendidas entre los dedos de cada mano, cumpliendo así los encargos de los devotos ausentes. Rosalindo figuraba entre ellos, y un amigo que iba a su lado llevaba los otros seis cirios. Los dos, por ser jóvenes, procuraban marchar entre las devotas más guapas.

Cuando terminó la procesión, Rosalindo apagó los catorce cirios, calculando lo que podrían darle por los cabos. Luego, en compañía de su amigo, empezó a correr los diferentes cafés de la ciudad. En todos ellos se bailaba la *zamacueca*, llamada en el país la *chilenita*. Cerca de medianoche, sudorosos de tanto bailar y de las numerosas copas de aguardiente que habían bebido, entraron en una casa, donde al son de un arpa bailaban varias mujeres con unos jinetes de estatura gigantesca. Eran gauchos venidos del Chaco; hombres de perfil aguileño y maneras nobles. Saltaban al son del arpa acompañados por el retintín de sus espuelas, persiguiendo a las chicas de bata flotante y que agitaban en la mano derecha el pañuelo, sin el cual es imposible bailar la *chilenita*.

No sabemos por qué las copas que Rosalindo y su amigo habían bebido y las notas románticas del arpa les dieron ganas de pelear con los gauchos. ¿Qué venían a hacer en Salta, donde no habían nacido? . . . ¿Por qué se atrevían a bailar con las mujeres del país? . . . Los dos sabían bien

---

aguardiente, *m.* brandy
aguileño, -a, aquiline
ausente, absent
copa, *f.* glass
flotante, floating
pelear, to fight
retintín, *m.* jingling
son, *m.* sound
sudoroso, -a, perspiring

cuidando de que no se apagasen, taking care that they should not go out
por ser jóvenes, because they were young
empezó a correr, began to make the round of
les dieron ganas de pelear, made them feel like fighting

que estas mujeres bailaban con todo el mundo, y que muchas de ellas no eran de la tierra. Pero necesitaban un pretexto. Al poco rato, y sin saber nadie cómo empezó la cuestión, se vieron ambos con el cuchillo en la mano frente a los gauchos, que también habían sacado los suyos.

Hubo un herido; gritaron las mujeres; el hombre del arpa salió corriendo llevando en brazos su instrumento; acudieron los vecinos, y tras ellos los policías, que por experiencia sabían que tarde o temprano correría la sangre en la fiesta del Cristo del Milagro. Media hora después Rosalindo se vió con su amigo en las afueras de la ciudad.

—Creo que le has matado, hermano—dijo el compañero.

Y como era hombre de experiencia en estos asuntos, le aconsejó que se marchara a Chile si no quería pasar varios años metido en la cárcel. Todos los presentes habían visto perfectamente cómo daba Rosalindo la cuchillada al gaucho. Además su arma había quedado abandonada en el lugar de la pelea.

Rosalindo trató de ir primero a la posada donde había dejado su caballo, pero cuando estaba cerca de ella tuvo que volverse atrás, aconsejado por su amigo. La policía, más lista que ellos, estaba ya examinando su equipaje, esperando que el culpable se presentara.

—Hay que huir—volvió a decir el amigo.

El camino para huir no era fácil. Rosalindo juzgaba peligrosa la ruta más corta que conduce a la provincia de Copiapó, en la vecina República de Chile. Era el camino favorito de los arrieros, y la policía le cogería en él. Tomaría, pues, el camino más largo y peligroso. Además, al fin de él encontraría las ricas salitreras chilenas, donde siempre hay falta de hombres para el trabajo.

Rosalindo empezó, pues, su viaje por el camino llamado

---

afueras, *f. pl.* outskirts
culpable, guilty
herido, *m.* wounded person
posada, *f.* inn
ruta, *f.* route

del Despoblado. Más allá se encontraba algo peor: la terrible Puna de Atacama, un desierto de inmensa desolación, donde morían los hombres y las bestias, unas veces de sed y frío, y otras vencidas por el huracán. Se guardó las espuelas en el cinto, renunciando a su dignidad de jinete para convertirse en peatón.

—Si tienes suerte—le decía su amigo, que quiso acompañarle un rato,—tal vez en veinte días o en un mes llegues al puerto de Cobija o a las salitreras de Antofagasta. Hay arrieros que lo han hecho en ese tiempo.

Y con la pena que inspira el amigo en plena desgracia, le dió su cuchillo y todo el dinero que encontró en los bolsillos de su traje.

—Toma, hermano; lo mismo harías tú por mí. ¡Que el Señor del Milagro te acompañe!

Y Rosalindo Ovejero volvió la espalda a la ciudad de Salta, siguiendo solo el camino del Despoblado.

COMPREHENSION

1. ¿Por qué iba a Salta Rosalindo Ovejero? 2. En aquella época ¿cuántos días duraba el viaje a Salta? ¿el viaje de vuelta? 3. ¿Qué encargos le hicieron a Rosalindo los vecinos suyos? 4. ¿Quién era la *Viuda del Farolito?* 5. ¿Cómo se vistió Rosalindo para el viaje? 6. ¿En qué mes llegó a Salta? ¿en qué estación? 7. ¿Qué imágenes iban en la primera parte de la procesión? 8. ¿Quiénes acompañaban al Señor del Milagro? 9. ¿Cómo estaban vestidas las señoritas? 10. ¿Adónde fueron Rosalindo y su amigo después de la procesión? 11. ¿Quiénes bailaban en la última casa en que entraron? 12. ¿Por qué se enfadaron Rosalindo y su amigo? 13. ¿Por qué tuvo

---

bolsillo, *m.* pocket
Despoblado, *m.* Desert
peatón, *m.* pedestrian

que huir Rosalindo? 14. ¿Por qué tuvo que dejar su caballo? 15. ¿Qué ruta decidió tomar? 16. ¿Qué le dió su amigo al despedirse de él?

FOR STUDY

1. *Translate:* cuanto antes, unos veinte días, al poco rato, pensaba ir, en cambio, a través de la puna, de acuerdo conmigo, viaje de vuelta, se detuvieron, una vela sin encender.

2. *Give one Spanish noun corresponding to each of the following adjectives:* andino, apacible, celoso, culpable, despoblado, diario, dorado, enjaulado, ensillado, milagroso, misterioso, peligroso, primaveral, sangriento, vistoso.

EL PRÉSTAMO DE LA DIFUNTA

II

Rosalindo sabía de este camino como sabía de todos los caminos y senderos de los Andes. Su padre había sido también arriero, y todos sus antecesores. Llevaban productos del país a los puertos del Pacífico, para traer en sus viajes de vuelta objetos de procedencia europea. En su casa, Rosalindo había oído hablar a menudo de los peligrosos viajes a través de los Andes y de la altiplanicie desolada de Atacama.

Después, en su adolescencia, acompañaba a los arrieros, cuidando las mulas en los malos pasos de la sierra. En estos viajes por las interminables soledades no sintió nunca miedo. Para el vagabundo dispuesto a convertirse en salteador tenía su cuchillo, con el cual también se defendía del puma, león de las altiplanicies desiertas, no

procedencia, *f.* origin
había oído hablar a menudo, had often heard

más grande que un perro, pero que el hambre mantiene en constante ferocidad.

Lo que más respetaba en esta naturaleza grandiosa y muda eran los entes misteriosos que parecían moverse en la soledad. Creía en el Cristo de Salta, pero al lado de él seguía venerando a las antiguas divinidades indígenas, como todos los arrieros del país. El Señor del Milagro tenía indudablemente el poder que tienen los hombres blancos, dominadores del mundo, pero a pesar de esto, la Pacha-Mama era la reina de la Cordillera y de los valles inmediatos, como muchos siglos antes de la llegada de los españoles.

La Pacha-Mama es una diosa bondadosa que está en todas partes y lo sabe todo, resultando inútil querer ocultarle palabras ni pensamientos. Representa la madre tierra, y en honor a ella los arrieros, cada vez que beben, dejan caer algunas gotas, para que la buena señora no sufra de sed. Así también cuando mascan coca, escarban el suelo con el pie y entierran algunas hojas. La Pacha-Mama debe comer, para que el hambre no la irrite, y la haga cruel con sus hijos. Rosalindo sabía además que la diosa no vive sola. Tiene un marido, Tata-Coquena, que es poderoso, pero con menos autoridad que ella, aunque vela sobre todas las riquezas ocultas en la tierra.

Muchos arrieros, mientras conducían sus recuas por la Cordillera, se habían encontrado con los dioses. El encuentro ocurría siempre en días de tempestad, como si los dioses sólo pudieran verse a la luz de los relámpagos y acompañados por los truenos que ruedan de montaña en montaña y de valle en valle. El padre mismo de Rosalindo se había encontrado con la Pacha-Mama en tardes de tem-

---

diosa, *f.* goddess
dominador, -a, ruler
ente, *m.* entity, being
escarbar, to dig up
grandioso, -a, imposing
indígena, native
indudablemente, undoubtedly
mascar, to chew
relámpago, *m.* lightning

pestad, y se la había descrito detalladamente. Los encuentros ocurrían siempre después de un largo descanso animado por la bebida.

La Pacha-Mama y el Tata-Coquena eran arrieros. ¿Qué otra cosa podían ser? Los que les veían no podían contar todas las recuas de llamas, enormes como elefantes, que marchaban detrás de ellos. Las *petacas* de que iban cargadas estas bestias estaban llenas de coca, hoja preciosa, que valía más para los arrieros que si fuera oro. Ellos no conocían riqueza que pudiera compararse con estas hojas secas y refrescantes, de las que se extrae la cocaína y que matan el hambre y la sed.

En el camino Rosalindo iba pensando a la vez en el Cristo de Salta y en la Pacha-Mama. Las dos sangres que existían en él le daban derecho a pedir la protección de ambas divinidades. Entre sus abuelos había un español; el resto de la familia era de sangre india. Si le abandonaba uno de los dioses, el otro le protegería.

Los paisajes más peligrosos de la Cordillera conocidos por él no eran nada comparados con esta altiplanicie. La tierra sólo ofrecía una vegetación raquítica y espinosa al abrigo de las piedras. A veces se encontraba con las ruinas de algunos pueblecitos y capillas, pero sin haber en ellos la menor señal de vida. Eran los restos de centros mineros creados por los conquistadores españoles cuando se extendieron por estos desiertos en busca de oro y plata. Los indios se habían rebelado en otro tiempo, matando a los mineros, destruyendo sus pueblos y sepultando el oro hallado por los españoles, de tal modo, que era imposible volver a encontrarlo.

El paisaje era cada vez más triste y desolador. En esta

---

abrigo, *m.* shelter
capilla, *f.* chapel
espinoso, -a, thorny
extraer, to extract
petaca, *f.* bale
raquítico, -a, sickly
refrescante, refreshing
recua, *f.* drove (of beasts of burden)
sepultar, to bury

altiplanicie, donde caía tanta nieve en el invierno que los viajeros y las bestias se hundían hasta la cabeza, no se veía ni una gota de agua. Todo era seco, árido y hostil. Las riquezas minerales daban a las montañas colores extraños. En ciertos huecos existía una capa blanca y profunda, semejante al sedimento de un lago cuyas aguas acabaran de secarse. Estos lagos secos eran de borato.

Ovejero caminó después días enteros sin encontrar más vegetación que los altos cactos de las quebradas. Estos cactos, vistos de lejos, parecían columnas de soldados, que venían bajando uno por uno. En los primeros días de viaje encontró las chozas de algunos solitarios del Despoblado. Eran pastores de cabras, que milagrosamente subsistían sobre esta tierra estéril. Más adelante ya no encontró ninguna vivienda humana. La soledad, el silencio de las tierras muertas, la falta absoluta de toda vida; todo ello se abría ante sus pasos. Recordaba para animarse lo que había oído algunas veces sobre los primeros hombres blancos que atravesaron este desierto. Eran españoles con arcabuces y caballos, guerreros de pesadas armaduras, que no sabían adónde les llevaban sus pasos e ignoraban igualmente si la horrible Puna de Atacama tendría fin.

—¡Qué hombres, Santo Dios!—pensaba Rosalindo.

Y este pensamiento le daba mayores fuerzas para continuar el viaje. Además él sabía con seguridad adónde se dirigía, y encontraba el terreno tal como se lo habían descrito su amigo y los solitarios establecidos en los bordes del desierto.

---

altiplanicie, *f.* table-land, plateau
arcabuz, *m.* harquebus
armadura, *f.* armor
borato, *m.* borate, salt of boric acid
cabra, *f.* goat
capa, *f.* layer
guerrero, *m.* warrior
hueco, *m.* hollow
quebrada, *f.* ravine
secarse, to dry up
vivienda, *f.* dwelling

Ninguno de éstos, al darle entrada en su choza, le preguntó nada. Sabían sin duda que huía por haber matado, y como esta desgracia le puede ocurrir a todo hombre que usa cuchillo, se limitaron a darle explicaciones sobre el camino que debía seguir, añadiendo algunos pedazos de carne de cabra seca, para que no muriera de hambre en el desierto. Aun después de haber consumido todas sus provisiones no perdió el ánimo. Mientras viera su bolsa pendiente de su cinto, no temía al hambre ni a la sed. En ella llevaba su provisión de coca. Gracias a esta hoja, considerada en el país como de origen divino, podría vivir días y días, sin comer ni beber.

Al cerrar la noche, buscaba Rosalindo el abrigo natural de las piedras o de las ruinas de algún centro minero. Sólo empezaba otra vez su marcha con la luz del sol, para poder seguir las señales que le habían indicado, y no perderse en esta tierra monótona, sin árboles, sin casas, y sin ríos. Lo que más le asustaba era la posibilidad de que se levantara uno de eso terribles vientos glaciales que barren la Puna. Mientras la atmósfera se mantuviese tranquila no había peligro, pero el frío huracán era más temible que la nieve.

La rarefacción de la atmósfera causaba igualmente una fatiga mortal a los que cruzaban por primera vez las altiplanicies andinas. Pero Ovejero, acostumbrado a las grandes alturas, estaba libre del llamado *mal de la Puna*. Tenía el corazón sólido de los montañeses y su pecho robusto le permitía respirar sin dolor en unas tierras situadas a más de diez mil pies sobre el nivel del mar. Una mañana creyó que había llegado al punto más alto y

---

abrigo, *m.* shelter
barrer, to sweep
bolsa, *f.* purse
montañés, *m.* mountaineer
pendiente, hanging
temible, to be dreaded

mal de la Puna, mountain sickness

difícil del camino. En dos o tres días empezaría su descenso hacia el Pacífico.

—Debo de estar cerca de la *Difunta Correa*—pensó.

Conocía de fama a la *Difunta Correa*, como todos los hijos de la tierra de Salta. Era una pobre mujer que había salido a atravesar el desierto a pie y con una criatura en los brazos. Su deseo era llegar a Chile en busca de su marido, que la había abandonado. Los vientos glaciales de la Puna la envolvieron, y ella y su criatura, refugiadas en una cueva, murieron de frío y de hambre. Meses después la hallaron otros viajeros tal como si acabara de morir. La piedad de los arrieros abrió allí una sepultura para enterrar a la mujer y a su niño, colocando sobre los cadáveres un montón de piedras y una cruz.

Corrió por todo el país la fama de la *Difunta Correa*. Eran muchos los que habían muerto en los senderos de la altiplanicie, pero ninguno de los vagabundos muertos podía inspirar el mismo interés que esta mujer. Su tumba fué en adelante la orientación de los que pasaban de Salta a Chile. Todo viajero se consideraba obligado a rezarle una oración y a dejar una limosna sobre su sepulcro. Uno de los solitarios del Despoblado se hizo administrador de la Difunta, y cada seis meses o cada año hacía el viaje hasta la tumba para recoger el dinero de las limosnas y dedicarlo a misas. Este asunto era llevado con un respeto supersticioso.

Rosalindo encontró al fin la tumba. Era un montón de piedras colocado sobre otras piedras que parecían la base de un muro desaparecido. Dos maderos negros formaban una cruz, y al pie de ella una lata servía de cepillo de

---

cepillo de limosnas, collection box
descenso, *m.* descent
lata, *f.* tin can
madero, *m.* piece of wood
montón, *m.* heap
muro, *m.* wall
piedad, *f.* piety

tal como si acabara de morir, exactly as if she had just died

limosnas. Una gran piedra dentro de la lata la fijaba para que el viento no la arrebatara. Al levantar la piedra, Rosalindo vió el dinero. Eran unos cuantos billetes de un peso cada uno y varias piezas de níquel. Quizá había pasado un año sin que el administrador viniera a recoger las limosnas.

Ovejero sabía su deber, y se apresuró a cumplirlo. Con el sombrero en la mano, rezó todas las oraciones que sabía. Buscó luego en su cinto el pañuelo en que guardaba todo su dinero. Sacó a luz lo que poseía. Sólo le quedaban tres pesos con algunos centavos. Durante los primeros días del viaje había tenido que pagar por comer y dormir en algunas chozas del camino, pues los dueños eran demasiado pobres y no podían dar a nadie cama y comida gratis. Por eso le quedaba muy poco para hacer una limosna espléndida. Pensó también que al salir del desierto y al verse en la ciudad necesitaría dinero para subsistir antes de que encontrara trabajo.

Empezaba a olvidarse de la Difunta y de todo lo que le rodeaba, cuando un personaje extraño le hizo volver a la realidad. No estaba solo en el desierto. Oyó al otro lado de las piedras un animal que gruñía, y al erguirse vió que tenía la piel dorada con manchas de rojo obscuro. Tenía cabeza de gato, con bigotes hirsutos y ojos verdes. Rosalindo conocía esta bestia, y no le tenía miedo. Era un puma, que parecía no saber si atacarle o huir. Rosalindo lo espantó con un grito feroz, arrojándole al mismo tiempo una gran piedra.

La fiera huyó en el primer momento, pero se detuvo a corta distancia. Aquel terreno lo consideraba suyo. Sin duda permanecía junto a la tumba todo el año porque era

---

arrebatar, to blow away
atacar, to attack
cinto, *m.* belt
erguirse, to rise
gato, *m.* cat
gruñir, to growl
hirsuto, -a, bristly
níquel, *m.* nickel

éste el lugar por donde pasaba más gente, siéndole fácil alimentarse con los despojos de las caravanas y hasta matar al hombre que no estuviera preparado para defenderse. Rosalindo se contentó con dejarlo en paz. Veía en él a un guardián de la tumba. Hasta pensó que la extraña criatura, mezcla de león y de tigre, tendría algo del alma de la Difunta, pues en los cuentos del país había oído hablar muchas veces de espíritus de personas que continúan su existencia dentro de cuerpos de animales.

Mirando otra vez la lata se le ocurrió un pensamiento.

—Yo estoy vivo y tengo poco dinero—se decía. —La *Difunta Correa* está muerta y no necesita comer ni ir a Chile como yo. Estas limosnas van a quedar meses debajo de esta piedra, hasta que llegue el administrador a recogerlas. ¿No podemos, pues, hacer un negocio honrado ella y yo? . . .

Rosalindo sabía que los viajeros necesitados solían llevarse con toda reverencia el dinero dedicado a los difuntos, dejando a éstos un recibo con la promesa solemne de devolverles una cantidad mayor. ¿Por qué no podría hacer él lo mismo? La *Difunta Correa* era una buena mujer y aceptaría desde el fondo de su tumba este préstamo. El, por su parte, siempre había sido fiel a su palabra. Lo que se llevara lo devolvería con interés.

Con la calma que siempre da la pureza de la intención, fué recogiendo todo el dinero depositado en el fondo de la lata. Había ocho pesos y cuarenta centavos. Luego buscó en su cinto un lápiz corto, arrancando también un pedazo de papel de un periódico viejo de Salta.

Escribir el documento que iba a dejar en la tumba fué cosa larga y difícil. En su niñez había figurado entre los

---

alimentar, to feed
arrancar, to tear off
despojos, *m. pl.* remains
niñez, *f.* childhood
pureza, *f.* purity
recibo, *m.* receipt
recoger, to collect

mejores alumnos de la escuela de su pueblo, pero siempre consideró la ortografía como el más horrible de los tormentos de la juventud, a causa de la diferencia entre las letras mayúsculas y minúsculas. En el borde blanco del periódico escribió que tomaba a préstamo de la *Difunta Correa* la expresada cantidad, jurando devolverla al mismo sitio dentro de un año; y para hacer más solemnes sus palabras, metió en cada una dos o tres mayúsculas. Después puso su firma, *ROSALINDO OVEJERO*, con letras enormes.

Cuando hubo guardado el dinero en el cinto, depositó el recibo en el fondo de la lata, colocando la piedra sobre él, para que el viento no pudiera llevárselo. Nada más le quedaba que hacer allí. Ahora que se veía con más recursos para hacer frente a la vida entre los hombres civilizados, deseaba salir cuanto antes del desierto.

El puma se había ido acercando con un gruñido hipócrita, como si esperase verle de espaldas para caer sobre él. Rosalindo se inclinó, arrojándole otra piedra que le hizo huir por segunda vez. Luego continuó su marcha.

Horas después vió unos guanacos salvajes que corrían por el límite del horizonte. La vida vegetal y animal volvía a aparecer en el desierto. En los días siguientes los guanacos en mayor número salían a su encuentro y los matorrales parecían cada vez más espesos y altos. A la semana siguiente encontró hombres y durmió en casas que formaban míseros pueblos. Siguió bajando, y al fin halló el camino que iba a conducirle a la costa del Pacífico.

---

firma, *f.* signature
gruñido, *m.* growl
guanaco, *m.* a kind of llama
matorral, *m.* thicket
mayúsculo, -a, capital (letter)
minúsculo, -a, small (letter)
mísero, -a, wretched
ortografía, *f.* spelling

tomaba a préstamo, he was borrowing
Nada más . . . que hacer allí, He had nothing left to do there
para hacer frente a, to face
vida vegetal, vegetation

COMPREHENSION

1. ¿Por qué conocía Rosalindo el camino del Despoblado? 2. ¿Qué arma tenía? 3. ¿Cómo es el puma de la altiplanicie? 4. Según los arrieros indios, ¿qué divinidades reinaban en la Cordillera? 5. ¿Cuándo veían a esos dioses? 6. ¿De qué estaban cargadas las llamas de los dioses? 7. ¿Qué viviendas encontró Rosalindo al principio del viaje? ¿Qué le dieron sus dueños? 8. ¿Qué propiedades tiene la coca? 9. ¿Dónde pasaba Rosalindo las noches? 10. ¿Por qué no sufría del mal de la Puna? 11. ¿Quién era la *Difunta Correa?* 12. ¿Qué hacía todo viajero que pasaba por su tumba? 13. ¿Quién recogía las limosnas? ¿En qué se gastaban? 14. ¿Qué hizo Rosalindo al llegar a la tumba? 15. ¿Cuánto dinero le tomó prestado a la Difunta? 16. ¿Qué dejó en la lata? 17. ¿Cuándo prometió devolver el dinero? 18. ¿Qué animal vió cerca de la tumba?

FOR STUDY

1. *Translate:* cuanto antes, tal vez, en todas partes, se encontró conmigo, cada vez más triste, unos cuantos animales, hacer dos cosas a la vez, a la luz de la luna, se apresuró a decírmelo.

2. *Read the three words of each group in logical order:* abuelo, padre, antecesor; adolescencia, vejez, niñez; asesino, vagabundo, salteador; brisa, huracán, viento; capilla, iglesia, catedral; casa, choza, palacio; cordillera, puna, valle; criatura, hombre, joven; diamante, plata, oro; fresco, glacial, frío; gato, puma, león; igual, mayor, menor; lago, mar, océano; poco, mucho, ninguno.

EL PRÉSTAMO DE LA DIFUNTA

III

Ovejero pasó todo un año trabajando en las salitreras chilenas de la costa del Pacífico. Vivió unas veces cerca de Antofagasta, otras en Iquique y hasta en Arica, en la frontera del Perú. El trabajo no era demasiado duro y pagaban bien. Rosalindo se alegraba de haber huído de su país, librándose para siempre de su vieja profesión de arriero. En pocas semanas ganó ahora lo que al otro lado de los Andes le hubiera costado un año de trabajo, y su vida era mucho más fácil.

Hombres de diversos países trabajaban en las salitreras, y casi todos ellos vivían sin familia, pudiendo gastar sin temor sus jornales. De aquí que, en días de fiesta, los obreros se entregaran a las más locas fantasías en los cafés y los despachos de licores. No sabían cómo gastar su dinero en esta tierra de pocas diversiones. Algunos sacaban sus revólveres, escogiendo como blanco las botellas que veían en línea, pagándolas luego a unos precios que hubieran asustado a muchos ricos. Otros, para beber un vaso de vino, abrían la espita de un barril, dejando que el líquido, después de llenar el vaso, cayera en el suelo. Luego pagaban con orgullo, delante de todos.

Rosalindo acabó por adquirir el mismo aspecto de los obreros del país. Se había cortado el cabello y transformado el traje. Ya no quedaba nada en él del gaucho salteño.

Cuando había pasado ocho meses trabajando, sintió una gran alegría al encontrarse con un hombre de su país que

---

barril, *m.* cask
espita, *f.* spigot
jornal, *m.* wage, wages
De aquí que, Hence it was that
despacho de licores, saloon
salitrera, *f.* nitrate field
salteño, -a, native of Salta

deseaba volver a Salta. Este hombre había tenido menos suerte que Ovejero en las salitreras. Trabajó y ganó mucho en los primeros meses; pero era jugador, y lo perdió todo. Por fin sus deudas y sus continuas peleas le obligaban a abandonar el país.

Al saber que su compatriota iba a volver a Salta por la Puna de Atacama, Rosalindo pensó en la antigua deuda, que recordaba a menudo, y que a veces no le dejaba dormir. Mientras bebía con su compatriota en un café de Antofagasta, le fué explicando el asunto.

—Tú pasarás por la tumba de la *Difunta Correa*, ¿no es eso, hermano? . . . Pues bien; cuando llegues allí, le dejas bajo la piedra estos treinta pesos. Ella me dió ocho y unos centavos, pero hay que ser liberal con los que nos ayudan.

Pidió también a su amigo que sacara de la lata el recibo que había dejado allí. Cuando lo tuviera en su poder, debía enviárselo por correo. Y le dió unos cuantos pesos más por la molestia que le causaba.

Poco después de la partida de su amigo Rosalindo cayó enfermo. El médico que lo asistía atribuyó su mal a los excesos alcohólicos, pero Rosalindo creía saber mejor que el médico la verdadera causa de su enfermedad. Dormía mal y su sueño estaba cortado por terribles visiones.

Esta vida de alucinación dolorosa había empezado cierta noche en que se dirigía a su casa completamente ebrio. Fué entonces que vió por primera vez en el camino una mujer enjuta de carnes, con la tez algo cobriza y unos ojos grandes, negros, ardientes. Iba envuelta en un manto

---

alucinación, *f.* hallucination
atribuir, to attribute
deuda, *f.* debt
doloroso, -a, painful
ebrio, -a, drunk
enjuta de carnes, emaciated
jugador, *m.* gambler
molestia, *f.* trouble
partida, *f.* departure
tez, *f.* complexion

obscuro y llevaba de la mano a un niño. Rosalindo nunca había visto a la *Difunta Correa* ni jamás encontró a nadie que pudiera describírsela. Pero al ver a esta mujer quedó convencido de su identidad. Era la *Difunta Correa;* no podía ser otra. ¡Aquellos ojos! . . . ¡Aquel niño que la acompañaba! . . .Se quitó el sombrero con el mismo respeto que cuando había rezado ante su tumba.

—¿En qué puedo servirla, señora?—dijo. —¿Qué desea de mí? . . .

La mujer no respondió y sus negros y redondos ojos le miraron fijamente. Rosalindo entró en su casa, y la Difunta, siempre con su niño de la mano, entró también después de cerrar él la puerta. Rosalindo dormía en una pieza grande con siete compañeros más, pero la mujer pasó sin vacilar por entre todos hasta llegar a su cama. Cada vez que él abría los ojos la encontraba frente a él, inmóvil, rígida, mirándole con sus pupilas ardientes y fijas, que jamás cerraba.

A la mañana siguiente, Rosalindo creyó haber hallado la explicación de esta visita. La Difunta había venido indudablemente a darle las gracias por los enormes intereses con que había acompañado el pago del préstamo. Si no hablaba y su mirada infundía espanto, era porque los muertos no hablan y no pueden mirar de otro modo.

Este encuentro se repitió muchas noches. Rosalindo bebía ahora más que antes, con el fin de dormirse pronto y evitar tales visiones. A pesar de ello, la Difunta seguía visitándole. Algunas veces, se le aparecía en pleno sol, cuando trabajaba arrancando las rocas de salitre. En vano él le hacía preguntas. La mujer era muda y le

---

espanto, *m.* terror

indudablemente, undoubtedly

¿En qué puedo servirla? What can I do for you?

en pleno sol, in broad daylight

miraba siempre con sus pupilas redondas y severas, mientras el niño continuaba su eterno llanto seco.

—Hay en esto algo que no comprendo—pensaba Rosalindo—¿No le habrá entregado mi amigo el dinero que le di?

Se dedicó, pues, a averiguar si su compatriota le había o no engañado. Al fin, un vagabundo que iba por los cafés robando con sus malas artes de jugador el dinero a los trabajadores, le dió noticias de él. A su amigo le habían matado meses antes en un despacho de bebidas cerca de la Cordillera cuando se dirigía desde Cobija a tomar el camino de la Puna.

Al oír esto Rosalindo empezó a contar los meses que habían pasado desde que dejó su documento en la tumba del desierto. Hizo un gesto de satisfacción como si acabara de resolver un problema difícil, al convencerse de que había pasado más de un año, plazo que él mismo fijó en su papel. Ahora lo comprendía todo. Deseó que llegara pronto la noche y se le apareciera la Difunta para darle sus explicaciones. Pero como su empeño era grande, aquella noche no se le apareció. Fué después de haber salido el sol, en pleno día, que Ovejero logró verla.

—Señora, la falta no es mía; es de un amigo que se ha dejado matar, perdiendo mi dinero. Pero yo pagaré. Además aumentaré los intereses. . .

No tuvo que seguir hablando. La Difunta desapareció con su niño, como si la hubieran satisfecho estas promesas.

Ahora Rosalindo trabajaba más y bebía menos. Deseaba hacerse perdonar con su generosidad el retraso en el pago de la deuda. Al mismo tiempo buscaba un

---

llanto, *m.* weeping
empeño, *m.* eagerness
retraso, *m.* delay

robando . . . de jugador, robbing the workers of their money with his wicked gambling tricks
plazo que él mismo fijó, a term which he himself had specified

hombre que se encargara de ir a depositar la cantidad sobre la tumba. Por desgracia no pudo encontrar a nadie que pensara volver al norte de la Argentina por el desierto de Atacama.

—Tendré que enviar un hombre a mis expensas—pensó. —Esto será carísimo, pero no hay remedio.

Halló por fin a su hombre.

COMPREHENSION

1. ¿Durante cuánto tiempo trabajó Rosalindo en las salitreras? 2. ¿En qué pueblos vivió? 3. ¿Por qué estaba contento de haber venido a Chile? 4. ¿En qué gastaban los trabajadores sus jornales? 5. ¿Qué cambio se notó en Rosalindo? 6. ¿Por qué se alegró al encontrarse con un compatriota? 7. ¿Por qué volvía éste a Salta? 8. ¿Cuánto dinero le dió Rosalindo para dejar en la tumba? 9. ¿Qué debía devolverle el amigo a Rosalindo? 10. ¿Cuándo empezó éste a sentirse mal? 11. ¿Cómo explicó la enfermedad? 12. ¿A quiénes vió una noche? 13. ¿Cómo reconoció a la *Difunta Correa?* 14. ¿A dónde le siguió ella? 15. ¿Qué noticias recibió Rosalindo de su compatriota? 16. ¿Cuánto tiempo había pasado desde que tomó el préstamo? 17. Qué decidió hacer?

FOR STUDY

1. *Translate:* unos cuantos pesos, por primera vez, por desgracia, salió a mi encuentro, de otro modo, gozamos de la vida, tenía los ojos redondos, quedó convencido, ¡lo que habrá sufrido!, logré verla.

2. *Read each of the verbs in section* a *with its corresponding noun from section* b:

a. aparecer, beber, divertirse, cargar, encontrar,

---

carísimo, -a, very expensive

existir, gastar, gruñir, jugar, mirar, pagar, pelear, prestar, recibir, sorprender.

b. gruñido, juego, préstamo, bebida, encuentro, diversión, carga, gasto, aparición, existencia, mirada, pago, sorpresa, recibo, pelea.

EL PRÉSTAMO DE LA DIFUNTA

IV

Era el nuevo mensajero un chileno viejo llamado el señor Juanito; pero las gentes del país, siempre dispuestas a cortar las palabras, le llamaban *ño* Juanito. Siempre que abría la boca dejaba a Rosalindo encantado. Su admiración por él era tan grande, que consideró cosa de poca importancia el hecho de que no hubiera atravesado nunca la Puna de Atacama, ni conociera el sitio donde estaba el sepulcro de la *Difunta Correa*. Un hombre de sus méritos sólo necesitaba unas cuantas explicaciones para hacer lo que le encargaran.

Había vivido *ño* Juanito, como los *rotos* chilenos, vida vagabunda. Deleitaba a Rosalindo contándole sus aventuras en la China, su vida de marinero a bordo de la flota turca y sus expediciones siendo niño a California, en compañía de su padre, cuando la fiebre del oro arrastraba allá a gentes de todos los países. ¿Qué podría ser la Puna de Atacama para tal hombre? . . . Cosas aun más difíciles tenía en su historia, y no iba a ser la primera ni la segunda vez que atravesara los Andes, pues lo había hecho hasta en pleno invierno, cuando los senderos quedan borrados por la nieve y ni los animales se atreven a atravesar la

borrar, to efface
deleitar, to delight
encantado, -a, charmed
flota, *f.* fleet
en pleno invierno, in mid-winter
mensajero, *m.*, messenger
roto, *m.* (Chilean) vagabond
turco, -a, Turkish

inmensa altiplanicie cubierta de blanco. Escuchaba con impaciencia las palabras de Rosalindo, a quien llamaba siempre el *cuyano*, nombre que los chilenos dan a los argentinos.

—No añadas más—decía. —Desde aquí veo con los ojos cerrados el camino que hay que seguir. Ahora hablemos de cosas más interesantes, *cuyano*. . . ¿Cuánto piensas enviar a esa pobre señora?

Ovejero, teniendo en cuenta lo que iba a costarle el mensajero, insistía en enviarle treinta pesos otra vez. Pero *ño* Juanito protestaba, juzgando muy pequeña la cantidad.

—Piensa que la Difunta te está aguardando hace muchos meses. ¡Imagínate lo que habrá sufrido por no haber recibido tu dinero a tiempo! Debes subir la suma hasta cincuenta pesos.

Rosalindo accedió y *ño* Juanito ya no dudó en exigirle el doble por su viaje. Por menos de cien pesos no se movía de su tierra natal. El era muy patriota, y como estaba viejo, sólo por una suma decente podía correr el riesgo de que le enterraran fuera de Chile. Además, era justo que el *cuyano* le pagara por los perjuicios profesionales que iba a sufrir. Y contó todas las tabernas y todos los cafés donde por la noche tocaba la guitarra cantando *zamacuecas*.

Rosalindo, convencido de que no debía insistir, se dedicó a juntar la cantidad convenida y al fin le entregó un día a su amigo los ciento cincuenta pesos.

—Mañana mismo—dijo el viejo—salgo para la Puna, y recto, recto, me planto en la tumba de esa señora. No añadas explicaciones; conozco el camino. Antes de un mes me tienes aquí con el recibo.

---

natal, native

riesgo, *m.* risk

perjuicio, *m.* injury, loss

Mañana mismo, Tomorrow without fail

recto, recto, me planto en la tumba, I'll go straight to the tomb

Y se marchó.

Ovejero pasó los primeros días tranquilo. Seguía trabajando, pues le era necesario reunir más fondos después de lo que acababa de hacer. Aunque más de una vez volvió a su casa por el mismo camino donde primero vió a la Difunta, ésta no se le aparecía. Tampoco despertaba a sus camaradas durante la noche con los monólogos de un sueño violento.

El tiempo pasaba y el viejo no volvía; pero Rosalindo no se alarmaba. Sabía que *ño* Juanito era amigo de cambiar de tierras; tal vez había encontrado a Salta muy a su gusto y andaba por los cafés de la ciudad tocando su guitarra y haciendo bailar la *chilenita* a todo el mundo. Sin embargo, cuando pasó el segundo mes sin tener noticias de él, Ovejero empezó a tener sospechas.

En efecto, para esos días la Difunta volvió a aparecérsele. El gaucho no podía mirarla sin temblar de pies a cabeza.

—¿Qué ocurre, señora? . . . Yo he enviado el dinero. ¿No ha visto usted a *ño* Juanito?

Una explosión de blasfemias le cortó la palabra, haciendo huir a la visión.

—¡Cállate, *cuyano!*—le gritaban sus compañeros. —Ya estás hablando otra vez con los muertos. . . ¿Es que mataste a alguien allá en tu tierra, antes de venirte aquí?

Al día siguiente, Rosalindo estaba tan preocupado que no acudió al trabajo.

—Algo pasa que yo no sé—se decía. —¿Habrán matado a *ño* Juanito, lo mismo que mataron al otro?

Como necesitaba tener noticias de su mensajero se fué al puerto de Antofagasta, donde el viejo chileno tenía muchos amigos. Le bastó hablar con uno de ellos para convencerse de que *ño* Juanito no había muerto y que

---

preocupado, -a, worried

estaba gozando de buena salud. La misma persona empezó a reír cuando Rosalindo le habló de la marcha del viejo a través de la Puna de Atacama. Ya no tenía piernas *ño* Juanito para tales aventuras; por eso sin duda había preferido embarcarse con dirección al Sur. Según las últimas noticias, él y su guitarra andaban por Valparaíso. Ovejero lamentó que Valparaíso no estuviera más cerca para interrumpir las *zamacuecas* del viejo con una cuchillada igual a la que le había hecho huir de Salta. . . . El sacrificio de los ciento cincuenta pesos resultaba inútil. La Difunta vendría de nuevo a turbar su sueño con su presencia.

La misma noche que volvió de Antofagasta, una mujer le esperaba en el mismo lugar donde otras veces había salido a su encuentro la *Difunta Correa*. Pero a esta mujer ni la acompañaba un niño. Avanzó sola hacia él, y al estar cerca, sacó un brazo que llevaba oculto en la espalda, mostrando pendiente de la mano una luz. El brazo seco y verdoso, que parecía interminable, se extendió ante él, sosteniendo un farol de color de sangre. . . Era la *Viuda del Farolito*.

Sintiendo la voz de una fuerza irresistible, Rosalindo marchó hacia su casa, guiado por la linterna. Entró en su cuarto y se echó en la cama. El farol quedó inmóvil frente a sus ojos, y en el fondo obscuro se veía el rostro maligno de la *Viuda del Farolito*, en que se pintaba una risa macabra. El hombre empezó a gritar, lleno de miedo:

—¡Yo pagaré! ¡Es la falta de los otros! . . . ¡Por Dios, apague ese farol; que yo no vea esa luz!

Como en las noches anteriores, sus compañeros des-

---

macabro, -a, hideous
pendiente, hanging
turbar, to disturb
verdoso, -a, greenish

a su encuentro, to meet him
la acompañaba un niño, was not accompanied by a child
en la espalda, behind her back

pertaron lanzando blasfemias, pero Rosalindo seguía gritando y señalando al invisible fantasma.

Al día siguiente los camaradas decidieron obligarle a que buscara otro cuarto; pero esto no le importó nada; su único pensamiento era pagar la deuda a la Difunta. Dejó el trabajo e hizo sus preparativos de viaje. Iba a empezar el invierno. El tiempo era malo para emprender la travesía de la Cordillera por el desierto de Atacama, pero Ovejero movía la cabeza negándose a seguir los consejos de los que querían hacerle desistir del viaje. Ellos no sabían que su resolución no aceptaba retrasos. La *Viuda del Farolito* era una bruja implacable, y su aparición significaba un plazo mortal. El que la encontraba debía morir antes de un año. Sin embargo él creía que si pagaba su deuda inmediatamente le bruja le dejaría en paz. Haría el viaje sin perder un día más.

Los dueños de las tiendas en los valles de los Andes le vieron subir hacia la Puna montado en su mula decrépita pero todavía útil. En vano aquellos hombres le aconsejaron que se volviera. Un viento glacial soplaba en la desierta extensión de la altiplanicie. Los últimos arrieros que acababan de bajar de la Puna declaraban el paso imposible para los que trataran de atravesarla después de ellos. Pero Rosalindo seguía adelante.

Se halló por fin con un arriero boliviano, que llevaba poncho rojo y sombrero de piel y que conducía veinte llamas, cada una con dos paquetes en los lomos. Venía huyendo de los huracanes de la altiplanicie.

—No siga—le dijo el indio. —Créame y véngase conmigo. Allá arriba es imposible que pueda vivir un cristiano. El diablo se ha quedado de señor para todo el invierno.

---

fantasma, *m.* phantom
paquete, *m.* bale
preparativo, *m.* preparation
retraso, *m.* delay
significaba un plazo mortal, meant that his hour was soon to come

Rosalindo no le hizo caso y entró en el inmenso desierto sin agua y sin vegetación. Se daba valor comparando este viaje con el que había hecho casi dos años antes. Ahora no iba solo; llevaba mula y los víveres necesarios para un mes. Pero los huracanes fríos de la altiplanicie no le dejaban avanzar. La mula se paraba, temiendo que el viento la echase al suelo. Rosalindo se agarraba a su lomo para no caer, y en su afán de seguir adelante, hería al animal con la punta del cuchillo para obligarlo a caminar. Marchaba como un sonámbulo, concentrando toda su voluntad en el deseo de verse junto al sepulcro.

Una mañana, en mitad de la jornada, cuando Ovejero se creía cerca de la tumba, la mula dobló las patas y cayó. Fué inútil que tratara de levantarla. Comprendiendo que no podría contar más con ella, el hombre siguió solo. Al marchar sin la protección que le daba el cuerpo de la mula se vió envuelto en las trombas que giraban sobre la desolada inmensidad, levantando columnas de una arena cortante, que era como polvo de rocas. Repetidas veces tuvo que echarse al suelo y andar a gatas. El frío había penetrado hasta sus huesos, helándole los brazos. El aliento se convertía en escarcha sobre sus labios. Los pelos del bigote y de la barba eran todo hielo.

Por fin empezó a ver las primeras piedras que había junto al sepulcro, y después la tumba y los dos maderos en cruz. Empezaba a soplar de nuevo el huracán cuando llegó ante el rústico mausoleo del desierto. Pero Rosalindo parecía insensible a las ferocidades de la atmósfera y de la tierra. Toda su atención la concentraba en sus ojos.

---

agarrar, to hold on
aliento, *m.* breath
arena, *f.* sand
bigote, *m.* mustache
escarcha, *f.* frost
dobló las patas, collapsed
girar, to sweep
helar, to freeze
sonámbulo, *m.* sleepwalker
tromba, *f.* whirlwind
víveres, *m. pl.* provisions
andar a gatas, crawl on all fours

Vió al pie de la cruz la misma lata que servía para recoger las limosnas, la misma piedra que dentro de la lata la fijaba . . . ; todo igual que dos años antes.

¡Al fin se encontraba allí! . . . ¡Cómo había deseado este momento! . . . Trató de quitarse el sombrero antes de hablar con la Difunta, pero no pudo. No tenía manos, ni tampoco brazos. Pendían de sus hombros, pero ya no eran suyos. Quiso hablar, pero aunque hizo un esfuerzo extraordinario, no salió de su boca el más leve sonido. Su pensamiento no estaba mudo, sin embargo, y bastaría para que él y la Difunta se entendieran.

—Aquí estoy, *Difunta Correa*—dijo mentalmente. —He tardado un poco, pero no fué por mi culpa: bien lo sabe usted. Traigo el préstamo, con los intereses que le prometí. Son cuarenta pesos. . . No he podido traer más. . .

Fué a sacarlos de su cinto para depositarlos bajo la piedra, en el mismo lugar donde había dejado su recibo, pero sus manos estaban muertas. Hizo un supremo esfuerzo para mover los brazos, pero todo fué en vano. . . ¡Muertos para siempre! . . . La misma parálisis empezaba a entrar en sus piernas. De pronto éstas se doblaron y cayó al suelo. Luego, sin saber por qué, y contra su voluntad, que le gritaba: "¡Levántate!", se fué acostando boca arriba, lentamente, como si la tierra le llamara. Quería dormir, pero al mismo tiempo el deseo de dejar bien claras las cuentas le hizo continuar sus explicaciones mentales. El había traído el dinero. ¿Por qué no quería aceptarlo la Difunta?

—Le digo, señora—continuó—que no fué culpa mía. Me engañaron todos los que yo envié. . . Pero ¿es que no quiere usted oírme? . . .

En esto notó que alguien andaba entre las piedras de la

---

doblarse, to collapse
lata, *f.* tin can
boca arriba, on one's back
leve, slight, least
pender, to hang

tumba, y avanzaba hacia él, arrastrándose. Como le era imposible levantar la cabeza del suelo, oyó cómo se acercaba aquel ser viviente, pero sin poder verlo. Debía ser la *Difunta Correa*, que saliendo de la tumba venía a recibir el dinero. Escuchó también cierto ruido, semejante al bostezo de un hambre larga y fiera.

Al mismo tiempo algo enorme y obscuro se colocó entre su cara y la luz del desierto. Rosalindo vió dos ojos redondos cuyo feroz brillo penetró hasta el fondo de su alma. Se acordó de las negras y fijas miradas de la Difunta, pero éstas no eran negras, sino verdes y con reflejos dorados.

De repente sonó a un lado de su cráneo un rugido semejante al de un trueno. . .

Se abrió ante su mirada un abismo invertido de color de sangre, echando espuma y erizado de conos de marfil, unos agudos, otros retorcidos. Al mismo tiempo, sobre su pecho cayeron dos columnas duras como el hueso, que le apretaban contra la tierra, manteniéndole en la inmovilidad de la presa vencida. . .

Era el puma.

COMPREHENSION

1. ¿Por dónde había viajado *ño* Juanito? 2. ¿En qué estación había cruzado los Andes? 3. ¿Cuántos pesos pensaba Rosalindo mandarle a la *Difunta Correa?* 4. ¿Cuántos pesos quería *ño* Juanito que mandara? 5. ¿Cuántos meses pasaron sin que Rosalindo tuviera noticias de él? 6. ¿A dónde fué a pedir noticias? 7. ¿Qué le dijeron allí? 8. ¿Quién le esperaba aquella

abismo, *m.* abyss
agudo, -a, sharp
apretar, to press
bostezo, *m.* yawning
brillo, *m.* gleam
cráneo, *m.* skull
erizado de, bristling with
espuma, *f.* foam
marfil, *m.* ivory
reflejo, *m.* reflection
retorcido, -a, twisted
rugido, *m.* roar

noche? 9. ¿Cómo la reconoció? 10. ¿Por qué quería ir en seguida a la tumba de la Difunta? 11. ¿Con quiénes se encontró en el camino? 12. ¿Qué le aconsejaron éstos? 13. ¿Cómo obligó a la mula a caminar más ligero? 14. ¿Qué hizo la mula una mañana? 15. ¿Qué tuvo que hacer Rosalindo para no ser arrebatado por el viento? 16. ¿Qué trató de hacer al llegar a la tumba? 17. ¿Por qué no puso el dinero en la lata? 18. ¿Qué le esperaba en la tumba?

FOR STUDY

1. *Translate:* se negó a salir, no puedes contar conmigo, se sintió cansado, de pronto, de otro modo, acababan de leerlo, esto es lo importante, siguió bebiendo, ¿llegamos a tiempo?

2. *Select from section* b *the word defined by each item in section* a:

a. instrumento musical, baile indio, angustia que se siente en las grandes alturas, bestia de carga de la América del Sur, el que tiene sangre española e india, hoja mascada por los indios, una persona nacida en Chile, planta espinosa que se halla en regiones secas, nombre con que se indican los Andes, hombre que vive en las pampas, lo que lleva el indio como abrigo, el que conduce bestias de carga.

b. arriero, cacto, coca, Cordillera, chileno, gaucho, guitarra, llama, mal de la puna, mestizo, poncho, zamacueca.

For discussion (after reading *El préstamo de la difunta*)

Is the emphasis in this story as much on social criticism as in the first two stories by Blasco Ibáñez? What qualities does Rosalindo have in common with Sento and the *parásito?* What do you learn from the story about Spanish American religious attitudes and customs, Indian divinities, Indian psychology, the Andean plateau, the Chilean nitrate fields?

VOCABULARY

This vocabulary is intended to be complete except for the omission of exact cognates identical in meaning with the corresponding English words. Names of fictitious places and persons are included only when they deserve comment. The following abbreviations appear:

adj., adjective
aug., augmentative
contr., contraction
dim., diminutive
f., feminine
inf., infinitive
m., masculine
n., noun
past part., past participle
pl., plural
pret., preterit
sing., singular
super., superlative

A

a, to, at, in, for, after, away, with; by dint of
abajo, below, beneath; **escalera —,** down the stairs
abandonar, to abandon, forsake, leave, let go
abanicar, to fan
abierto, *past part. of* **abrir,** opened, open
abismo, *m.* abyss
abogado, *m.* lawyer
abono, *m.* fertilizer
abrazar, to embrace
abrazo, *m.* embrace
abrigo, *m.* shelter
abrir, to open
abrupto, -a, abrupt; craggy, rugged
absolución, *f.* absolution
absolutamente, absolutely
absoluto, -a, absolute
absorber, to absorb; swallow
absorto, -a, absorbed (in thought)
abstinencia, *f.* abstinence
abuela, *f.* grandmother
abuelita, *f. dim. of* **abuela,** granny
abuelo, *m.* grandfather; *pl.* grandparents
abundar, to abound, be abundant
acá, here; **por —,** this way
acabar, to finish, end; **— de** (*plus inf.*), to have just; **acababa de** (*plus inf.*), had just
acariciar, to caress
acaso, perhaps, perchance, indeed, by any chance
acceder, to accede, agree, consent, yield
acción, *f.* action, deed
acento, *m.* accent
aceptar, to accept, approve
acequia, *f.* canal, irrigation ditch
acera, *f.* sidewalk
acercar, to bring or place near; **—se,** to approach
acertar (ie), to guess right, hit the mark

acoger, to receive, welcome
acompañar, to accompany
aconsejar, to counsel, advise
acontecimiento, *m.* event, happening
acordar (ue), to agree; **—se (de),** to remember
acostar (ue), to lay down; put to bed; **—se,** to lie down; go to bed
acostumbrado, -a, accustomed, usual
acudir, to be present, attend, go, come, hasten
acuerdo, *m.* agreement; **de — con,** according to, in agreement with
acusación, *f.* accusation, charge
adelante, onward; ahead; **¡—!,** forward!, come in!; **de ahora en —** from now on, henceforth; **en —,** henceforth, thereafter; **más —,** farther on
ademán, *m.* gesture, attitude, manner
además, moreover; **— de,** besides
adivinar, to guess
administrador, *m.* administrator, manager
admirable, admirable, unusual
admiración, *f.* admiration
admirado, -a, in surprise
admirar, to admire; **—se,** to be surprised
admitir, to admit, accept
adobe, *m.* adobe, clay, mud
adolescencia, *f.* adolescence
adonde, where; in which; whither, to which
¿adónde?, where? whither?
adoptar, to adopt
adorar, to adore
adorno, *m.* adornment
adquirir (ie, i), to acquire
advertir (ie, i), to take notice, observe; warn
afán, *m.* anxiety, zeal, enthusiasm, eagerness
afectar, to affect; touch, move
afecto, *m.* affection, fondness, love
afición, *f.* affection, fondness; hobby
afirmar, to affirm, state, say
afuera, outside; **las -s,** outskirts
agarrar, to grasp, seize; **—se a,** to clutch
agente, *m.* agent
ágil, agile, nimble, fast
agitar, to agitate, wave, shake, trouble, stir; jingle, rattle
agosto, August
agradable, agreeable, pleasant
agradecer, to thank for, be grateful for
agradecido, -a, grateful
agradecimiento, *m.* gratitude
agua, *f.* water
aguardar, to wait (for)
aguardiente, *m.* brandy
agudo, -a, acute, sharp
aguileño, -a, aquiline
agujero, *m.* hole
ahí, there
ahogar, to drown, suffocate, choke
ahora, now
ahorcar, to hang
aire, *m.* air
airoso, -a, graceful
aislado, -a, isolated, marooned
ajeno, -a, alien, foreign, another's, the neighbor's
al (**a** *plus* **el**) to the, at the; **—** *plus inf.*, on, upon, when
ala, *f.* wing; brim (*of a hat*); flap
alabar, to praise
alacrán, *m.* scorpion
alargar, to lengthen, stretch; hold out
alarmar, to alarm
alazán, reddish-brown

Albacete, city in southeastern Spain
álbum, *m.* album
alcalde, *m.* mayor
alcanzar, to reach, overtake, catch up with; accomplish, be enough
alcohol, *m.* alcohol, liquor
alcohólico, -a, alcoholic
aldea, *f.* village
alegrar, to enliven, cheer up, make happy; **—se,** to rejoice, feel happy
alegre, happy
alegría, *f.* happiness, joy
alejar, to remove; **—se,** to recede, move away, withdraw
algo, something
alguacil, *m.* constable, bailiff
alguien, some one, somebody
algún, *used for* **alguno** *before a masc. sing. noun*
alguno, -a, some, any; some one, any one
Alicante, city in southeastern Spain
aliento, *m.* breath
alimentar, to feed, nourish
alimento, *m.* nourishment, food
alma, *f.* soul; courage; **hijos de mi —,** my dear children; **— de Dios,** simple, inoffensive person
almazarrón, *m.* red ochre, red earth
almohada, *f.* pillow
alrededor, around
altiplanicie, *f.* table-land, plateau
alto, -a, high; **-as horas,** late hours; **¡—!,** halt!; **hacer —,** to halt, stop; **en alta voz,** aloud, in a loud voice
altura, *f.* height
alucinación, *f.* hallucination
alumno, -a, pupil, student
alzar, to raise, hoist; **—se,** to rise, arise; **— los ojos,** to look up
allá, there; **más —,** beyond
allí, there; **por —,** that way
ama, *f.* owner; mistress; **— de llaves,** housekeeper
amante, lover
amar, to love
amarillento, -a, yellowish
amarillo, -a, yellow
ambos, -as, both
amenazar, to threaten
América, *f.* America
americano, -a, American
amigo, -a, friend; **— de,** fond of
amistad, *f.* friendship
amo, *m.* owner, master
amor, *m.* love
amparar, to protect
anciano, -a, ancient, old
ancho, -a, wide; **— sombrero,** broad-brimmed hat
Andalucía, *f.* Andalusia (region of southern Spain)
andar, to walk, go; **— a gatas,** to crawl, creep, go on all fours; **andando el tiempo,** later on, subsequently, in the course of time
andas, *f. pl.* platform
Andes, *m.* Andes (a mountain range in South America)
andino, -a, Andean
anegar, to inundate, flood, drown
angustia, *f.* anguish, grief, attack
ánima, *f.* soul (in Purgatory)
animalito, *m. dim. of* **animal**
animar, to animate, enliven, cheer; **— el fuego,** to poke the fire; **—se a,** to be encouraged to, make up one's mind to, decide to
ánimo, *m.* courage; **con — de,** with the intention of
anoche, last night

anochecer, *m.* nightfall
anónimo, -a, anonymous, *m.* anonymous letter
ansiar, to desire earnestly, long
ante, before, in front of in the presence of
antecesor, *m.* ancestor
anterior, previous
antes, before; **cuanto —,** as soon as possible
antigüedad, *f.* antiquity, antique
antiguo, -a, ancient, old
Antofagasta, seaport in northern Chile
anunciar, to announce, inform
añadir, to add; apply
año, *m.* year; **al —,** yearly; **el — pasado,** last year
apacible, peaceful
apagar, to extinguish; **—se,** to go out
aparecer, to appear, be seen
aparición, *f.* apparition; appearance
apartado, -a, far, distant, out of the way
apartar, to separate, place apart, remove
apenar, to sadden
apenas, hardly, scarcely, no sooner . . . (than)
apetito, *m.* appetite
aplicar, to apply; inflict
Apolo, Apollo (god in Greek mythology)
aposento, *m.* room
apreciar, to appreciate
aprender, to learn
aprensión, *f.* apprehension, fear
apresurarse, to hasten, hurry
apretar, to squeeze, press (down)
aprovechar, to benefit from; **—se de,** to take advantage of
aproximar, to move or bring near; **—se,** to approach
apuntar, to aim
apurar, to drain; **—se, to worry,** grieve
aquel, aquella, that
aquél, aquélla, that, the former, the one
aquello, that, that matter
aquellos, aquellas, those
aquéllos, aquéllas, those, the ones
aquí, here; **de — que,** hence; **— mismo,** right here; **por —,** this way
árabe, Arab
árbol, *m.* tree
arcabuz, *m.* harquebus (ancient hand firearm)
ardiente, ardent, burning
arena, *f.* sand
argentino, -a, Argentinian, Argentine
Arica, seaport in northern Chile
árido, -a, arid, dry
aristocrático, -a, aristocratic
arma, *f.* arm
armadura, *f.* armor
armario, *m.* wardrobe, cupboard
arpa, *f.* harp
arrancar, to tear off; draw out
arrastrar, to drag along; attract; **—se,** to crawl
arrebatar, to snatch, blow away
arreglar, to arrange, compose, fix
arrepentirse, to repent
arriba, up, upstairs; **allá —,** up there
arriero, *m.* muleteer
arrodillarse, to kneel
arrogante, arrogant, haughty
arrojar, to throw (off), cast
arroyo, *m.* brook, stream
arruinar, to ruin, impair; **—se,** to be ruined, to lose one's money
arte, *m.* art; cunning; skill; trade; **malas —s,** tricks

artillería, *f.* artillery
artista, *m. and f.* artist
asaltar, to assault, attack
Ascensión, Ascension Day (church holiday)
ascético, -a, ascetic, austere
asegurar, to assure, guarantee
asesinar, to murder
asesinato, *m.* murder
asesino, *m.* murderer
asfixiar, to asphyxiate
así, thus, so; — **pues,** so then
asiático, -a, Asiatic
asiento, *m.* seat; **tomar —,** to sit down, be seated
asimismo, likewise
asistir, to attend, be present; take care of
asomar, to appear, look out, become visible
asombrado, -a, amazed
asombro, *m.* amazement
aspecto, *m.* aspect, air, appearance; countenance
aspiración, *f.* aspiration, hope, ambition
asunto, *m.* matter, business, affair
asustar, to frighten, scare
Atacama (desierto de), desert of the Andean plateau between Chile, Argentina, and Bolivia
atacar, to attack
atar, to tie
atención, *f.* attention
atender, to pay attention, listen to; watch, look after
aterrador, -a, terrifying, awful
atmósfera, *f.* atmosphere
atormentar, to torment
atraer, to attract
atrás, behind; back; backward
atravesar (ie), to traverse, cross
atrayente, attractive, fascinating
atreverse, to dare, venture
atrevido, -a, bold, daring, rash
atribuir, to attribute
audaz, audacious, bold
aumentar, to increase, raise
aun, aún, yet, still; even
aunque, although
aurrescu, *m.* Basque dance for eight dancers
ausencia, *f.* absence
ausente, absent
autor, *m.* author
autoridad, *f.* authority
autorizado, -a, authorized
avanzar, to advance, come up
aventura, *f.* adventure
averiguar, to find out
Avila, city in central Spain
avisar, to inform, notify; warn
¡ay!, ah!, alas!, oh!
ayer, yesterday
ayuda, *f.* help, aid; **— de cámara,** *m.* valet
ayudar, to help, aid
azadón, *m.* hoe
azul, blue
azulado, -a, bluish

B

bahía, *f.* bay, harbor
bailar, to dance
baile, *m.* dance, ball
bajar, to descend, go (or come) down; get out (of a vehicle); lower
bajo, -a, low; soft (of sound); *prep.* under
bala, *f.* bullet
balancear, to balance; **—se,** to roll, rock, sway
balcón, *m.* balcony, porch
banco, *m.* bench; bank
bandera, *f.* flag
bandido, *m.* bandit
barato, -a, cheap
barba, *f.* beard; chin
bárbaro, -a, savage, ruthless

barco, *m.* boat, ship
barraca, *f.* hut; small house typical of rural Valencia
barrer, to sweep
barrigón, -a, big-bellied, paunchy
barril, *m.* barrel, cask
barro, *m.* clay
base, *f.* base, basis, foundation
bastante, enough, sufficient, quite
bastar, to be enough, to suffice, to be sufficient
bata, *f.* robe, gown
bayoneta, *f.* bayonet
bebé, *m.* baby, tot
beber, to drink
bebida, *f.* drink; drinking
bello, -a, beautiful, handsome
bendecir, to bless
bendice, *see* **bendecir**
bendito, -a, blessed
besar, to kiss
beso, *m.* kiss
bestia, *f.* beast, animal
bestial, bestial, brutal
Biblia, *f.* Bible
bíblico, -a, biblical, as in the Bible
bien, well; clearly, perfectly; very; — **que,** although; **más** —, rather; **no** —, no sooner; **pues** —, well then
bienaventuranza, *f.* bliss
bigote, *m.* mustache
billete, *m.* ticket; bill; — **de lotería,** lottery ticket
blanco, -a, white; *m.* target
blanquísimo, -a, *super. of* **blanco**
blasfemia, *f.* blasphemy
boca, *f.* mouth; lips; — **abajo,** face down; — **arriba,** on one's back
boda, *f.* marriage, wedding; **traje de** —, wedding gown
boina, *f.* beret (flat, round woollen cap generally worn in Navarre and the Basque provinces)
bola, *f.* ball
boliviano, -a, Bolivian, native of Bolivia
bolsa, *f.* purse
bolsillo, *m.* pocket
bomba, *f.* bomb
bondadoso, -a, kind, charitable, noble
bonito, -a, pretty
borato, *m.* borate, a salt of boric acid
bordar, to embroider
borde, *m.* edge; side; border, margin
bordo: a —, on board, aboard
borrar, to erase, efface, eradicate
borrico, *m. dim. of* **burro**
bosque, *m.* forest
bostezo, *m.* yawning
bota, *f.* boot, shoe
botella, *f.* bottle
boticario, *m.* druggist
brazo, *m.* arm; **cogidos del** —, arm in arm
breve, brief, short
brida, *f.* bridle, rein
brillante, brilliant, shining
brillar, to shine, sparkle
brillo, *m.* brilliance, gleam
brisa, *f.* breeze
británico, -a, British
broche, *m.* brooch, clasp
broma, *f.* joke; **en** —, jokingly, in jest
bronce, *m.* bronze, brass; a bronze figure
bruja, *f.* witch; — **del infierno,** infernal witch
brumoso, -a, misty, foggy
buen, *used for* **bueno** *before a masc. sing. noun*
buenaventura, *f.* fortune
bueno, -a, good; **buen sentido,** common sense; **¡bueno!,** very well!

Buenos Aires, capital of Argentina
bulto, *m.* bulk; figure, form
burla, *f.* joke, mockery
burlar, to ridicule, mock, scoff; **—se de,** to mock, scoff, make fun of
burlón, -a, mocking
burro, *m.* donkey
busca, *f.* search
buscar, to look for, seek; to search for
busqué, *see* **buscar**
busto, *m.* bust

C

caballerito, *m. dim. of* **caballero,** young man
caballero, *m.* gentleman; knight
caballo, *m.* horse; **a —,** on horseback
cabellera, *f.* hair; head of hair
cabello, *m.* hair
caber, to fit into; **no cabe duda,** there is no doubt (of it)
cabeza, *f.* head
cabo, *m.* end, extreme, extremity; stub; corporal; **al —,** at last
cabra, *f.* goat
cacto, *m.* cactus
Cachigordeta, *f.* "Fat-Cheeks"
cada, each, every; **— cual, — uno,** each one; **— vez más,** more and more
cadáver, *m.* corpse
cadena, *f.* chain
Cádiz, principal seaport of southern Spain
caer, to fall; befall, fall to one's lot; to fit, suit, become; **—se,** to fall
café, *m.* café; coffee
caído, *past. part. of* **caer**
caja, *f.* box, case
calabacero, *m.* pumpkin grower
calabaza, *f.* pumpkin, squash
calamidad, *f.* calamity
calcular, to calculate, figure
calentar (ie), to heat, warm
calidad, *f.* quality
caliente, hot, warm; **comer —,** to have a warm meal
californiano, -a, Californian, native of California
calma, *f.* calm, quiet; coolness
calmar, to calm, appease, quiet
calor, *m.* heat, warmth
calumniar, to slander
callar(**se**), to hush, keep silent, keep still
calle, *f.* street
cama, *f.* bed; **— y comida,** room and board
cámara, *f.* chamber; **ayuda de —,** *m.* valet
camarada, *m.* comrade, companion
cambiar (de), to change; **— de tierras,** move around
cambio, *m.* change, exchange; **en —,** on the other hand
camelia, *f.* camellia
caminar, to walk, go on
camino, *m.* road; way; **— de,** on the way to
camisa, *f.* shirt
campana, *f.* bell
campiña, *f.* countryside, fields
campo, *m.* country; field
canción, *f.* song
candidez, *f.* candor, innocence
canoa, *f.* canoe
cansado, -a, tired, weary; wearisome, tiresome
cansar, to tire out, weary; **—se,** to become tired
cantar, to sing
cantidad, *f.* amount, quantity, sum
canto, *m.* singing, song

caña, *f.* reed
capa, *f.* coating, layer
capataz, *m.* foreman
capaz, capable
capellán, *m.* chaplain
capilla, *f.* chapel
capital, *f.* capital city
capital, *m.* capital, fortune, wealth
capitán, *m.* captain; **— general,** commander-in-chief, governor
captura, *f.* capture
cara, *f.* face
¡caracoles!, *interj.* the devil!; Gosh!
carácter, *m.* character, temper; *pl.* type, letters
caravana, *f.* caravan
carbón, *m.* coal, charcoal; cinder
carcajada, *f.* peal of laughter; **soltar la —,** to burst out laughing
cárcel, *f.* jail
carga, *f.* load, burden
cargar, to load
caricia, *f.* caress
cariño, *m.* affection
carísimo, -a, *super. of* **caro**
carita, *dim. of* **cara**
carne, *f.* meat
caro, -a, dear, expensive
carretera, *f.* highway, road
carro, *m.* cart, wagon
carta, *f.* letter; playing card
casa, *f.* house; **— de comercio,** business firm; **— de huéspedes,** boarding house; **— de remolienda,** gambling house; **echar de —,** to get rid of; **en —,** at home
casar, to marry; **—se con,** to marry
cascada, *f.* cascade
cáscara, *f.* peel, skin, bark; **¡—s!,** Goodness gracious!, By Jove!
casi, almost
casita, *f.* little house
caso, *m.* case, fact, affair; **hacer — de,** to pay attention to; **es el —,** the truth is
castaño, -a, chestnut (brown)
castellano, -a, Castilian; **— viejo,** Spaniard of the old school
castigar, to chastise, punish; beat
castillo, *m.* castle
catástrofe, *f.* catastrophe
catedral, *f.* cathedral
catorce, fourteen
cauce, *m.* bed (of a river)
causa, *f.* cause; **a — de,** on account of, due to
causar, to cause
caverna, *f.* cavern
cayó, *see* **caer**
ceder, to give way, yield
celda, *f.* cell
celebrar, to celebrate; **—se,** to place
célebre, celebrated, famous
celo, *m.* zeal; *pl.* jealousy; **tener —s,** to be jealous
celoso, -a, jealous
cena, *f.* supper
cencerro, *m.* (cow) bell
centavo, *m.* cent, penny
centinela, *m.* sentry, sentinel
centro, *m.* center, middle
cepillo, *m.* brush; **— de limosnas,** collection box
cera, *f.* wax
cerca, *f.* fence
cerca, near; **— de,** near, nearly, almost, close up, close to, at close quarters
cercar, to surround; to close in on
cerebro, *m.* brain, mind
ceremonia, *f.* ceremony, ritual
cerquita, *dim. of* **cerca,** real close
cerrar (ie), to close, shut; **al — la noche,** at nightfall

cesar, to cease, stop
cesto, *m.* basket; **— de los papeles viejos,** waste-basket
ciegamente, blindly
cielo, *m.* sky; heaven
cien, ciento, one hundred
científico, -a, scientific
cierto, -a, certain, sure; true; a certain; **lo —,** the truth, the fact
cigarro, *m.* cigarette; cigar
cimitarra, *f.* scimitar
cinco, five
cincuenta, fifty
cinto, *m.* belt; waist
circunflejo, -a, circumflex
circunnavegación, *f.* circumnavigation
circunstancia, *f.* circumstance
cirio, *m.* (thick and long) wax taper
ciudad, *f.* city
civilizado, -a, civilized
claro, -a, clear, bright; light (in color); **¡—!,** sure!; **es —,** of course, it is evident; **— que,** of course; **— está que,** of course
clase, *f.* class; kind, sort
clavar, to nail, fix
cobarde, cowardly; *m. and f.* coward
Cobija, seaport in northern Chile
cobrar, to collect (money)
cobrizo, -a, coppery
coca, *f.* coca; coca leaves
cocaína, *f.* cocaine
cocina, *f.* kitchen
cocinero, -a, cook
coche, *m.* coach, carriage; **— de primera,** first-class coach
cochero, *m.* coachman, driver
cofradía, *f.* brotherhood
coger, to take; catch, seize; pick, gather; hold
cojo, *see* **coger**
cola, *f.* tail; glue
colección, *f.* collection
coleccionar, to collect, gather
coleccionista, *m. and f.* collector
colegio, *m.* (private) school
cólera, *f.* anger
colgar (ue), to hang
colocar, to put, place, station
colonia, *f.* colony
color, *m.* color; **perder el —,** to turn pale
coloradillo, -a, ruddy
colorado, -a, red; **se puso —,** he blushed
colosal, colossal, huge, gigantic
columna, *f.* column
combate, *m.* combat, fight, battle
comenzar (ie), to commence
comer, to eat; **— por tres,** to eat enough for three
comerciante, *m.* merchant
comercio, *m.* commerce, business; **casa de —,** business firm
comida, *f.* food; meal; dinner, lunch
como, like, as, such as; as if; since; **— que,** since; as if; **— si,** as if
¿cómo?, how?
comodidad, *f.* comfort
compadre, *m.* friend, pal
compañero, *m.* companion, friend, comrade
compañía, *f.* company; **en — de** together with
comparar, to compare
compasión, *f.* compassion, pity
compatriota, *m.* compatriot, fellow countryman
compensar, to compensate
completamente, completely
completo, -a, complete; **por —,** completely
compra, *f.* purchase
comprar, to buy

comprender, to understand
común, common; abundant; **en —,** in common, together
comunicar, to communicate
con, with; by; **— que,** and so, so then
concentrar, to concentrate
concluir, to conclude, end
conde, *m.* count
condenar, to condemn, sentence
condición, *f.* condition, quality; disposition
conducir, to conduct, lead; convey, carry; drive
conducta, *f.* conduct, behavior
condujo, *see* **conducir**
confesión, *f.* confession
confiado, -a, trusted; trusting
confundido, -a, confused; mixed, intermingled
confundir, to confuse; to mix up, blend
confuso, -a, confused
conmigo, with me
conmover (ue), to touch, move; disturb
cono, *m.* cone
conocedor, -a, familiar (with), expert (in); **hombre —,** connoisseur
conocer, to know, be acquainted with; meet; **—se,** to become acquainted
conozco, *see* **conocer**
conque, so, and so, so then
conquistador, *m.* conquistador, conqueror
consecuencia, *f.* consequence, result
conseguir (i), to obtain, get; manage; **—** *plus inf.*, to succeed in
consejo, *m.* advice, counsel
conservación, *f.* conservation, preservation
conservar, to keep, conserve, preserve, maintain
considerablemente, considerably
considerar, to consider, regard
consiguiente, consequent, resulting; **por —,** consequently
consiguió, *see* **conseguir**
consistir, to consist
consolarue, to console, **—se,** to console each other
conspicuo, conspicuous
constante, constant
constantemente, constantly
consternación, *f.* consternation, distress
constituir, to constitute
construir, to construct, build
construyendo, *see* **construir**
construyó, *see* **construir**
consuelo, *m.* consolation, relief
consumir, to consume; use up; eat up
contacto, *m.* contact; touch
contar (ue), to count; tell (a story), relate; **— con,** to count on
contemplación, *f.* contemplation
contemplar, to contemplate; look, examine
contener, to contain; hold, check, hold back; **—se,** to control oneself
contenido, *m.* contents; *adj.* restrained
contentar, to satisfy, please; **—se,** to be contented or pleased
contentísimo, -a, *super. of* **contento**
contento, -a, contented, satisfied, glad
contestar, to answer
contigo, with you
continente, *m.* continent
continuar, to continue
continuo, -a, continuous

contra, against
contrariado, -a, vexed
contrario, -a, contrary, opposite; **al** —, on the contrary
contribución, *f.* contribution; tax
convencer, to convince; **—se,** to admit
convenido, -a, agreed (upon)
convenir, to be convenient, proper, or well
convento, *m.* convent
conversación, *f.* conversation
convertir (ie, i), to convert, change; **—se,** to become a convert; **-(se) en,** to become
convicto, -a, convicted
copa, *f.* glass, goblet
Copiapó, city in northern Chile
corazón, *m.* heart
corbata, *f.* necktie
cordero, *m.* lamb
cordillera, *f.* mountain range
corona, *f.* crown
coronar, to crown, top
corral, *m.* yard, courtyard
correo, *m.* mail
correr, to run, flee; travel, make the rounds of; **a todo** —, at full speed, as fast as possible
corresponder, to correspond, match
corriente, current; running
cortante, cutting, slicing
cortar, to cut; cut off, interrupt
corte, *f.* court; seat of the court
cortés, courteous, polite
cortina, *f.* curtain
corto, -a, short
cosa, *f.* thing, matter; **— de,** about, approximately; **gran** —, much, to a large extent; **otra** —, something else
cosecha, *f.* harvest
costa, *f.* coast; **a — de,** at the cost of
costar, to cost
costumbre, *f.* custom, habit; **de** —, usual
cráneo, *m.* cranium, skull
crear, to create, build
crecer, to grow, grow long
crecido, -a, thick, long
creer, to believe; **ya lo creo,** I should say, of course
creyendo, *see* **creer**
creyó, *see* **creer**
criada, *f.* servant, maid
criado, *m.* servant
criar, to raise, nurse, bring up; **malcriado,** spoiled, ill-bred
criatura, *f.* creature; baby
crimen, *m.* crime
cristal, *m.* crystal, glass; window pane
cristiano, -a, Christian; charitable; charitable person
Cristo, Christ
crónica, *f.* chronicle
crueldad, *f.* cruelty
cruelmente, cruelly
crujido, *m.* crack, crackle, creak; cracking, crackling
crujir, to crack, creak, crackle
cruz, *f.* cross
cruzar, to cross, traverse
cuadro, *m.* square; frame; picture; **pantalón de —s,** checkered trousers
cuadrúpedo, *m.* quadruped
cual, as, like; **por lo** —, for which reason
¿cuál?, which?, which one?, what?
cualidad, *f.* quality, virtue
cualquier, -a, any (at all); any one (at all)
cuando, when; **— más,** at most; **de — en** —, from time to time
¿cuándo?, when?
cuanto, as much as; all that; everything; **— antes,** as soon

as possible; **en —**, as soon as; **en — a,** as for; **unos —s,** some, a few
¿cuánto?, how much?; **¡—!**, how much!, how!; **¿—s?** how many?
cuarenta, forty
cuartillo, *m.* measure (fourth of a peck)
cuartito, *m. dim. of* **cuarto**
cuarto, *m.* room
cuatro, four
cubierto, *past part. of* **cubrir**
cubrir, to cover
cuchillada, *f.* (knife) thrust
cuchillo, *m.* knife
cueca, *f. contr. of* **zamacueca**
cuello, *m.* neck; collar; **subirse el —**, to turn up one's collar
cuenta, *f.* account, bill; bead; **darse —**, to realize; take notice; **dejar claras las —s,** to keep one's accounts straight; **tener en —**, to take into consideration
cuento, *m.* story, tale; **— de niños,** fairy tale; **sin —**, copious, without number
cuero, *m.* leather, hide
cuerpo, *m.* body
cuesta, *f.* slope, grade, hill
cuestión, *f.* question; dispute, quarrel; matter
cueva, *f.* cave
cuidado, *m.* care; **— con,** look out for; **con —**, carefully; **tener —**, to be careful
cuidar, to care, take care (of), be careful, to see to it (that)
culpa, *f.* blame; fault; **tener la —**, to be to blame
culpable, guilty
cumplir, to fulfil, keep (promise), execute, do (one's duty)
cuñada, *f.* sister-in-law
cuñado, *m.* brother-in-law
cura, *m.* priest
curar, to cure
curiosidad, *f.* curiosity; *pl.* curios, rare objects
curioso, -a, curious; strange
curtir, to tan
cuyano, -a, nickname given to the Argentinians by the Chileans
cuyo, -a, whose

CH

Chaco (el), region between Bolivia and Paraguay
champaña, *m.* champagne
chaqueta, *f.* jacket, coat
chica, *f.* girl, young woman
chico, *m.* boy, youngster
chicos, children, boys, boys and girls
chilenita, *f.* Chilean dance
chileno, -a, Chilean
chimenea, *f.* fireplace
chinería, *f.* Chinese *objet d'art*
chinita, *f.* girl
chino, -a, Chinese
chiquillo, -a, *dim. of* **chico**
chirriar, to squeak
chiste, *m.* joke
chocolate, *m.* chocolate; *adj.* brown
choza, *f.* hut

D

dad, *see* **dar**
dama, *f.* lady
dame, *see* **dar**
danzarina, *f.* dancer
dañar, to spoil
daño, *m.* harm; **hacer — a,** to harm
dar, to give; produce; utter; strike, hit; — (of a clock), to strike; **— a,** to face, open on; **— a entender,** to indicate; **— la mano,** to shake hands;

— **las gracias,** to thank; — **un salto,** to jump, leap; — **muerte,** to kill; —**se,** to hit, to hit oneself; —**se cuenta,** to realize; — **un suspiro,** to sigh
de, of, with, as, by, from, to
dé, *see* **dar**
debajo, beneath, underneath; — **de,** under, beneath
deber, should, ought, must; to owe
deber, *m.* duty
debido a, due to
débil, weak
debilidad *f.* weakness
decente, decent
decidir, to decide
décimo, -a, tenth; *m.* one tenth of a lottery ticket
decir, to say; **es** —, that is to say; **querer** —, to mean; — **entre dientes,** to mutter, mumble; **excusado es** —, needless to say
declarar, to declare; —**se en huelga,** to strike, to go on strike
decrépito, -a, decrepit
dedicar, to dedicate, devote
dedo, *m.* finger; — **de los pies,** toe
defecto, *m.* defect
defender, to defend, protect
defensa, *f.* defense, protection
dejar, to leave; let, allow, grant; — **de** *plus inf.*, to stop, cease, fail to; — **paso,** to make way; — **caer,** to drop; —**se,** to let or allow oneself
del, *contr. of* **de** *and* **el,** of the
delante, in front; — **de,** before, in the presence of
deleitar, to delight
delicado, -a, delicate
delicioso, -a, delightful, delicious
demanda, *f.* demand
demás, rest, remainder, other; **los** —, the others
demasiado, too, too much
demonio, *m.* demon, devil; **al** —, the deuce!
dentro, inside, within; **por** —, within
departamento, *m.* department, compartment
dependiente, *m.* clerk
depositar, to deposit
depósito, *m.* deposit, trust
derecho, -a, right; straight; *m.* right; privilege; **tener** — **a,** to have a right to
derramar, to shed
desafiar, to defy, challenge, face
desaparecer, to disappear
desarmado, -a, disarmed
desatar, to untie
desayuno, *m.* breakfast
descalzo, -a, barefoot
descansar, to rest
descanso, *m.* rest; stop
descenso, descent; **ir en** —, to slope downward
desconfianza, *f.* distrust, suspicion
desconocido, -a, unknown; *m.* stranger
describir, to describe
descripción, *f.* description
descrito, *past part. of* **describir**
descubierto, -a, *past part. of* **descubrir**
descubrir, to discover, catch
desde, since, from; — **hace seis años,** for six years; — **que,** since
desear, to desire, wish
deseo, *m.* desire, wish
desesperación, *f.* desperation, despair
desesperadamente, desperately
desesperar, to despair; —**se,** tc grow desperate
desfilar, to file off; march (in review), pass

desgracia, *f.* misfortune; **en plena —,** in the depths of misfortune; **por —,** unfortunately
desgraciado, -a, wretched, miserable; *m.* wretch
desierto, -a, deserted; *m.* desert
desinteresado, -a, disinterested
desistir, to desist, give up
desnudo, -a, bare, naked
desolación, *f.* desolation
desolado, -a, desolate
desolador, -a, desolate
desorden, *m.* disorder
desordenado, -a, disorderly
despacio, slowly
despacho, *m.* office; **— de bebidas (licores),** barroom
despedir(i), to send away; **—se,** to take leave, say good-bye
despensa, *f.* pantry
despertar(se) (ie), to awake, wake up, waken
despidió, *see* **despedir**
despierto, -a, awake
despoblado, -a, uninhabited; *m.* desert, wilderness
despojos, *m.* spoils, remains
después, later, after; **— de,** after; **poco —,** shortly after
destino, *m.* destiny, fate
destreza, *f.* dexterity, agility
destruir, to destroy
destruyendo, *see* **destruir**
detalladamente, in detail
detalle, *m.* detail
detener, to stop; **—se,** to stop, come to a stop
detestar, to detest, hate
detrás, behind
detuvo, *see* **detener**
deuda, *f.* debt
devoción, *f.* devotion
devolver (ue), to return, give back
devorar, to devour, eat up
devoto, -a, devout, faithful; *m.* devotee
devuelto, *past part. of* **devolver**
di, *see* **dar**
dí, *see* **decir**
día, *m.* day
diablo, *m.* devil
diálogo, *m.* dialogue, conversation
diamante, *m.* diamond
diariamente, daily
diario, -a, daily; *m.* diary
diciembre, December
dicha, *f.* happiness
dicho, *past part. of* **decir; — y hecho,** no sooner said than done
dieciséis, diez y seis, sixteen
diecisiete, diez y siete, seventeen
diente, *m.* tooth; **decir entre —s,** to mutter, mumble
dieron, *see* **dar**
diez, ten
diferencia, *f.* difference; **— de precio,** balance
diferente, different
difícil, difficult
dificultad, *f.* difficulty
difunto, -a, deceased, dead
dignamente, worthily, suitably, properly
dignidad, *f.* dignity
digno, -a, worthy
digo, *see* **decir**
dije, *see* **decir**
dijo, *see* **decir**
diligencia, *f.* stage-coach
diminuto, -a, diminutive, very small
dinastía, *f.* dynasty
dinero, *m.* money
dió, *see* **dar**
Dios, *m.* God; **¡por —!,** for Heaven's sake!; **¡Santo —!,** Good Lord!; **¡alabado sea —!,** God be praised!
dios, diosa, god, goddess

dirá, *see* **decir**
dirección, *f.* direction; **con — a,** bound for
directo, -a, direct, straight
diría, *see* **decir**
dirigir, to direct; address; **—se,** to address; go toward
discreto, -a, discreet
discusión, *f.* discussion, argument
disgustado, -a, displeased, disappointed
disgustar, to displease
disgusto, *m.* unpleasantness, annoyance
disolver (ue), to dissolve, break up
disparar, to fire
disponer, to dispose, arrange for, settle
dispuesto, *past part. of* **disponer**; ready
dispuse, *see* **disponer**
disputar, to dispute, argue
distancia, *f.* distance
disteis, *see* **dar**
distinguido, -a, distinguished
distinguir, to distinguish
distinto, -a, different
distrito, *m.* region, district
disuadir, to dissuade
diversión, *f.* diversion, amusement
diverso, -a, different, various
divertir (ie, i), to amuse; **—se,** to have a good time
dividir, to divide, share
divinidad, *f.* divinity
divino, -a, divine
doblar, to fold (up), double up, give way; **— las patas,** to collapse
doble, double, twice as much
doce, twelve
docena, *f.* dozen
documento, *m.* document
dolor, *m.* pain, grief, suffering
doloroso, -a, painful; pitiful, sorrowful
domador, *m.* tamer, animal trainer
dominador, -a, ruling; *m.* ruler
dominar, to master, overcome, rule, sway
domingo, Sunday
donde, where
¿dónde?, where?; **¿por —?,** which way?
dorado, -a, gilded, golden, tawny
dormido, -a, asleep
dormir (ue, u), to sleep; **— a pierna suelta,** to sleep soundly; **—se,** to fall asleep
dos, two; **de — en —,** two by two
doscientos, -as, two hundred
dragón, *m.* dragon
duda, *f.* doubt
dudar, to doubt, hesitate
dueño, *m.* owner
dulce, sweet, fresh, pleasant
dulces, *m. pl.* sweets, candy
dulzura, *f.* sweetness
duque, *m.* duke
durante, during
durar, to last, persist
durmiendo, *see* **dormir**
durmiente, sleeping, dormant
durmieron, *see* **dormir**
duro, *m.* Spanish dollar (five pesetas), 80 cents
duro, -a, hard, cruel

E

ebrio, -a, intoxicated, drunk
echar, to throw, cast; drive away; pour; **— de casa,** get rid of; **—se a,** to begin; **—se atrás,** draw back
edad, *f.* age
edificio, *m.* building
educación, *f.* education, good breeding

educar, to educate, bring up
efectivamente, really, in fact
efecto, *m.* effect; result; **en —,** in fact
Egipto (**el**), Egypt
egoísta, selfish
¡eh!, *interj.* eh!
ejemplo, *m.* example
ejército, *m.* army
el, the; — **que,** he who; — **de,** the one of or from
él, he, him, it
elefante, *m.* elephant
elegir (**i**), to elect, choose
elemento, *m.* element, ingredient
eligieron, *see* **elegir**
ella, she, her, it
ello, it
ellos, they, them
embarcación, *f.* craft
embarcarse, to embark, sail
embargo: sin —, however, nevertheless
embriaguez, *f.* drunkenness
emoción, *f.* emotion
empecé, *see* **empezar**
empeñar, to pawn; **—se en** *plus inf.* to insist upon
empeño, *m.* insistence, eagerness
emperador, *m.* emperor
emperatriz, *f.* empress
empezar (**ie**), to begin
empleado, *m.* employee, clerk
emplear, to employ, use
emprender, to undertake; — **el camino,** to set out
empujón, *m.* push, violent shove
en, in, at, on; during; as
enamorado, -a, in love; *m.* lover
enamorar, to make love; **—se,** to fall in love
enano, *m.* dwarf
encantador, -a, charming
encantar, to charm
encararse (**con**), to face
encargar, to entrust, put in charge; order (goods, etc.); send for; **—se de,** to take charge of, take upon oneself, look after
encargo, *m.* charge, commission, request
encender (**ie**), to light; **sin —,** unlighted
encendido, -a, lighted, burning; flushed (with anger or emotion)
encerrar (**ie**), to lock up; enclose
enciendo, *see* **encender**
encima, above, on top, over, on the back
encoger, to shrink; **—se de hombros,** shrug one's shoulders
encontrar (**ue**), to find; **—se,** to be, be present; **—se con,** to meet
encorvado, -a, stooped, bent
encorvarse, to stoop, bend
encuentro, *m.* encounter, meeting; **a su** (**mi**) **—,** to meet him (me)
enemigo, *m.* enemy
energía, *f.* energy; **con —,** energetically
enero, January
enfadar, to vex, anger; **—se,** to become angry
énfasis, *m.* emphasis
enfermar(**se**), to fall ill, take sick
enfermedad, *f.* illness
enfrente, in front, across, opposite
engañar, to deceive; **—se,** to make a mistake, be wrong
enigmático, -a, enigmatic
enjaulado, -a, caged
enjuto, -a, lean; — **de carnes,** emaciated
enojado, -a, angry, annoyed
enojo, *m.* anger, resentment
enorme, huge, enormous
enseñar, to show, teach
ensillar, to saddle

ente, *m.* being
entender (ie), to understand
enteramente, entirely
enterar, to inform; **—se,** to learn, be informed, find out
entero, -a, entire, whole, complete; perfect
enterrar (ie), to bury
entonces, then
entrada, f. entrance; access
entrar, to enter
entre, among, between
entregar, to deliver, hand over, give
entretanto, meanwhile
entristecer, to sadden; **—se,** to grow sad
entusiasmado, -a, enthusiastic; enthused
entusiasmar, to enrapture, charm
entusiasmo, *m.* enthusiasm, ardor
enviar, to send
envidia, *f.* envy; **con —,** enviously
envolver (ue), to wrap (up), envelop, cover
envuelto, *past part. of* **envolver**
época, *f.* epoch, time, period
equilibrio, *m.* equilibrium, balance
equipaje, *m.* baggage
equivocar, to mistake; **—se,** to make a mistake, be wrong
era, *see* **ser**
eres, *see* **ser**
erguirse (i), to rise, straighten up
erizado, -a (de), bristling (with)
ermita, *f.* shrine, chapel
errar, to err; miss
esbelto, -a, slim, slender
escalera, *f.* stair, staircase; **— abajo,** down the stairs
escapar, to escape
escarcha, *f.* frost
escena, *f.* scene
esclavitud, *f.* slavery
escoger, to choose
esconder, to hide, conceal
escopeta, *f.* gun
Escorial (el), a vast structure, twenty-seven miles northwest of Madrid, erected 1563–1584 and comprising a royal palace, a royal mausoleum, a church, a college, and a monastery, and containing many works of art
escribir, to write
escrito, *past part. of* **escribir**
escuchar, to listen
escuela, *f.* school
escultor, *m.* sculptor
ese, -a, that
ése, -a, that (one)
esencial, essential
esfinge, *f.* sphynx
esforzar(se) (ue), to strive, make an effort
esfuerzo, *m.* effort
esmeralda, *f.* emerald
eso, that; **por —,** therefore, on that account; **a — de,** at about; **¿no es —?,** is it not so?
espacio, *m.* space, atmosphere
espalda, *f.* back; **de —s,** on one's back; **en la —,** behind her back; **volver la —,** to turn one's back
espantado, -a, scared, frightened
espantar, to scare (away), frighten
espanto, *m.* fright, dread, terror
espantoso, -a, frightful, dreadful
español, -a, Spanish; Spaniard
esparcir, to spread, scatter
especial, special
especie, *f.* species, sort
espectador, *m.* spectator
espera, *f.* wait, expectation
esperanza, *f.* hope
esperar, to expect, hope, wait, await
espeso, -a, thick
espesura, *f.* thicket
espinoso, -a, thorny

espíritu, *m.* spirit, soul, mind
espita, *f.* spigot
espléndido, -a, splendid, grand; liberal
esplendor, *m.* splendor
esposa, *f.* wife
esposo, *m.* husband
espuela, *f.* spur
espuma, *f.* foam; **echar —,** to froth
esquina, *f.* corner
establecer, to establish, set up
establo, *m.* stable
estación, *f.* station; **mozo de (la) —,** porter
estado, *m.* state
estallido, *m.* crash
estandarte, *m.* standard
estanque, *m.* pond, pool
estar, to be; **— para,** to be about to, on the point of
estatua, *f.* statue
estatura, *f.* stature, height
este, -a, this
éste, -a, this (one)
estéril, sterile, barren
estimar, to esteem
estirar(se), to stretch out
esto, this; **en —,** meanwhile, at this point
estómago, *m.* stomach
estos, -as, these
éstos, -as, these
estoy, *see* **estar**
estrella, *f.* star
estremecer, to shudder, shake, tremble
estudiar, to study
estudio, *m.* study; studying
estuvo, *see* **estar**
eterno, -a, eternal
europeo, -a, European
evitar, to avoid
exacto, -a, exact, accurate
exactamente, exactly
exagerar, to exaggerate
examinar, to examine, search; **—se,** to take an examination
excelencia, *f.* excellence
excelente, excellent
excesivo, -a, excessive
excitación, *f.* excitement
exclamación, *f.* exclamation
exclamar, to exclaim
exclusivamente, exclusively
excursión, *f.* excursion, trip
excusa, *f.* excuse
excusado: — es decir, needless to say
excusar, to excuse
exigir, to demand, exact, require
existencia, *f.* existence, life
existir, to exist
éxito, *m.* success; **tener —,** to be successful
exótico, -a, exotic
expansión, *f.* expansion; generosity
expansivo, -a, expansive, talkative
expedición, *f.* expedition
expensa, *f.* expense
experiencia, *f.* experience
explicación, *f.* explanation
explicar, to explain
explosión, *f.* explosion
exponer, to expose; risk
expresamente, expressly
expresar, to express
expresivo, -a, expressive
expuesto, *past part. of* **exponer**
expuso, *see* **exponer**
éxtasis, *m.* ecstasy
extender, to extend, spread
extensión, *f.* expanse
exterminar, to exterminate
exterior, exterior, outside; *m.* exterior, outside
extraer, to extract
extraño, -a, strange, peculiar

extraordinario, -a, extraordinary
extremo, *m.* extreme; **en —,** extremely, to the utmost degree

F

fácil, easy
fácilmente, easily
fachada, *f.* façade
falda, *f.* skirt
falso, -a, false
falta, *f.* fault; need, lack, want; **hacer —,** to be needed
faltar, to lack, be missing or lacking; be absent; fall short, remain
fama, *f.* fame; **de —,** through hearsay
familia, *f.* family
famoso, -a, famous; notorious
fandango, *m.* fandango (a Spanish dance said to be of Moorish origin)
fantasía, *f.* fancy, imagination
fantasma, *m.* phantom, ghost
farol, *m.* lantern
farolito, *dim. of* **farol**
fatiga, *f.* fatigue
fatuo, -a, fatuous; stupid
favor, *m.* favor; **por —,** please
favorito, -a, favorite, preferred
faz, *f.* countenance, face
fe, *f.* faith
fecha, *f.* date
felicidad, *f.* happiness
felicitar, to congratulate
feliz, happy
felizmente, happily; uneventfully
feo, -a, ugly; homely
ferocidad, *f.* ferocity
feroz, ferocious, deadly
ferozmente, ferociously
fértil, fertile
fertilizar, to fertilize
férreo, -a, made of iron; **vía —,** railroad track; **línea —,** railway line
fiebre, *f.* fever
fiel, faithful
fiera, *f.* wild beast
fiero, -a, wild, fierce, ferocious; haughty, proud
fiesta, *f.* feast, party, celebration
figura, *f.* figure; **hacer —,** to cut a figure
figurar, to figure, appear; **—se,** to imagine
fijamente, fixedly
fijar, to fix; hold in place; **—se en,** to stare at, notice, look at
fijo, -a, fixed
filosóficamente, philosophically
fin, *m.* end; object, purpose; **a — de,** in order to; **a — de que,** in order that; **al —,** at the end, at last, to the end; **en —,** in short, finally; **por —,** finally; **un sinfín,** an endless number or amount
final, *m.* end; **al —,** in the end; at the end; *adj.* final; last
finalmente, finally
fingir, to feign, pretend, affect
Finita, *dim. of* **Josefina,** Josie
finjas, *see* **fingir**
fino, -a, fine; refined, polite
firma, *f.* signature
firmamento, *m.* firmament, heavens, sky
firmar, to sign
flecha, *f.* arrow; spire, weather-vane
flor, *f.* flower; **en —,** in bloom
flota, *f.* fleet
flotante, floating
fondo, *m.* background; bottom; *pl.* funds
forma, *f.* form, shape
formación, *f.* formation; **¡a la —!,** fall in!

formalmente, formally; seriously
formar, to form; draw up; fall in
formidable, formidable, striking
fortuna, *f.* fortune, capital; **por —,** fortunately
frágil, fragile
fraile, *m.* friar, monk
francés, -a, French
franciscano, -a, Franciscan (of the order of Saint Francis)
frase, *f.* phrase; sentence
fraternalmente, fraternally
fray, *contr. of* **fraile** (used as a title before the names of persons belonging to certain religious orders), brother
frecuencia, *f.* frequency; **con —,** frequently
frecuentar, to frequent
frenéticamente, frantically
frente, front; **— a,** in front of; before; **en — de,** in front of; **— a —,** face to face; **hacer — a,** to face
frente, *f.* forehead
fresco, -a, fresh, cool; buxom, ruddy
frescura, *f.* freshness, coolness
fríamente, coldly, with indifference
frijol, *m.* kidney-bean
frío, -a, cold; *m.* cold, coldness; **hacer —,** to be cold
frontera, *f.* frontier, border
fruta, *f.* fruit
fruto, *m.* fruit; any useful produce of the earth; any product of man's intellect or labor
fué, *see* **ser** *and* **ir**
fuego, *m.* fire; **hacer —,** to fire (a gun)
fuente, *f.* fountain
fuera, outside
fuera, *see* **ser** *and* **ir**
fuerte, strong
fuertemente, hard, strongly
fuerza(s), *f.* strength, force; **a — de,** by dint of; **a la —,** by force
fuese, *see* **ser** *and* **ir**
fugitivo, *m.* fugitive
fuí, *see* **ser** *and* **ir**
Fulano, So and So
fumar, to smoke (a cigarette, etc.)
fúnebre, funereal, mournful
furia, *f.* fury, rage, anger; **con —,** furiously
furioso, -a, furious

G

galán, *m.* young gentleman, lover
Gales, Wales; **príncipe de —,** Prince of Wales
galope, *m.* gallop
gallardo, -a, graceful, elegant
gana, *f.* desire; craving, appetite; **tener —s de,** to feel like
ganado, *m.* cattle, live stock
ganar, to earn; gain; win
garbanzo, *m.* chick-pea
garganta, *f.* throat, neck
gárgola, *f.* gargoyle
gastar, to spend; waste; use, show
gasto, *m.* expense, expenditure
gato, gata, cat; **a gatas,** on hands and knees, on all fours
gaucho, *m.* gaucho (native inhabitant of the pampas, of mixed Spanish and Indian descent; ordinarily engaged in cattle breeding)
gemir (i), to groan, moan, grunt; creak
generación, *f.* generation
género, *m.* genus, class, kind
generosamente, generously
generosidad, *f.* generosity
generoso, -a, generous
genio, *m.* genius; temperament,

character, nature, disposition; **vivo de** —, spirited
gente, *f.* people
gesto, *m.* gesture
gigantesco, -a, gigantic
gimió, *see* **gemir**
girar, to revolve, turn; sweep around
gitanico, *m. dim. of* **gitano**
gitano, *m.* gipsy
glacial, glacial, freezing
glorioso, -a, glorious
gobierno, *m.* government
Godoy (Manuel de), Spanish statesman (1767–1851), prime minister of Charles IV
golpe, *m.* blow; bruise; — **de agua fría,** dash of cold water
golpear, to strike, hit, pound, tap
gordo, -a, fat; **premio** —, first prize
gorra, *f.* cap
gota, *f.* drop
gótico, -a, Gothic
gozar (de), to enjoy
gozo, *m.* joy, enjoyment
gracia, *f.* gracefulness, charm, wit; **—s,** thanks; **dar las —s,** to thank
gracioso, -a, amusing, funny, charming
gran, (*before sing. noun*) great, large, big
Granada, city in southeast Spain; formerly a Moorish kingdom
grande, big, large; grown-up; great
grandioso, -a, grandiose, imposing
grandísimo, -a, *super. of* **grande**
grano, *m.* grain, kernel, seed
gratis, gratis, free
gratitud, *f.* gratitude
grave, grave, serious
gravemente, gravely
grifo, *m.* griffin
gritar, to shout, cry
grito, *m.* shout; **a —s,** (by) shouting
grotesco, -a, grotesque
grueso, -a, fat
gruñido, *m.* growl
gruñir, to growl
grupo, *m.* group
guanaco, *m.* guanaco (a kind of llama)
guapito, -a, *dim. of* **guapo,** good-looking, cute
guapo, -a, handsome, beautiful
guarda, *m.* guard
guardar(se), to save, put away, store; keep; protect
guardia, *m.* guard, policeman
guardián, *m.* guardian
guëcho, *m.* goitre
guerra, *f.* war
guerrero, *m.* warrior
guiar, to guide, drive, lead
guisadme, *see* **guisar**
guisar, to cook
guiso(s), *m.* cooking
guitarra, *f.* guitar
gustar, to please, be pleasing; like, enjoy; taste
gusto, *m.* pleasure; liking; **a su** —, to his taste; **a todo** —, to his heart's content

H

ha, *see* **haber**
haber, to have (*in compound tenses*); — **de** *plus inf.*, to be to, to have to; **hay,** there is, there are; **hay que,** it is necessary to; **no había más que,** there was (were) only
hábil, capable
habitación, *f.* room
habitual, habitual, customary
hablar, to speak, talk; say
habré, *see* **haber**

hacer, to do, make; cause to do or make; **—se,** to become; **— . . . años,** years ago, before; **hacía dos años,** it had been two years; **— caso,** to pay attention; **— daño,** to harm; **— falta,** to be needed; **— frío,** to be cold; **— fuego,** to fire (a firearm); **— figura,** to cut a figure; **— frente,** to face; **— preguntas,** to ask questions; **hace luna,** the moon is shining; **hace sol,** the sun is shining
hacia, toward
hacienda, *f.* farm, plantation
haga, *see* **hacer**
hallar, to find; **—se,** to be
hambre, *f.* hunger; **tener —,** to be hungry
han, *see* **haber**
haría, *see* **hacer**
has, *see* **haber**
hasta, to, up to; as many as, as far as; until, till; even; **— que,** until
Hawaí, Hawaii
hay, *see* **haber**
haya, *see* **haber**
he, *see* **haber**
hecho, *past part. of* **hacer; dicho y —,** no sooner said than done
hecho, -a, done, made; *m.* fact
helar (ie), to freeze
hemisferio, *m.* hemisphere
heno, *m.* hay
heredar, to inherit
heredero, *m.* heir
herida, *f.* wound
herido, -a, wounded; *m.* wounded person
herir (ie, i) to wound, hurt, touch; beat; prick
hermana, *f.* sister
hermano, *m.* brother
hermoso, -a, handsome, beautiful
héroe, *m.* hero
heroico, -a, heroic
hice, *see* **hacer**
hicieron, *see* **hacer**
hielo, *m.* ice
hierba (yerba), *f.* grass, herb
hierro, *m.* iron
hijito, -a, *dim. of* **hijo, -a**
hija, *f.* daughter; child
hijo, *m.* son; child; **-s,** children
hipócrita, hypocritical
hirsuto, -a, bristly, bristling
historia, *f.* history; story
historieta, *f.* short story
hizo, *see* **hacer**
hogar, *m.* fireplace, hearth; home
hoguera, *f.* bonfire
hoja, *f.* leaf
¡hola!, hello!
hombre, *m.* man; **— de bien,** honest man; **— de Dios,** man alive!
hombro, *m.* shoulder; **encogerse de —s,** to shrug one's shoulders
hondo, -a, deep
Hong Kong, city and island in Canton bay, southeastern China
honor, *m.* honor; **en — de,** in behalf of
honradamente, honestly
honradez, *f.* honesty
honrado, -a, honest
hora, *f.* hour; **a las altas —s de la noche,** late at night; **en mala —,** in an evil hour
horizonte, *m.* horizon
hormiga, *f.* ant
horno, *m.* oven, furnace
horrible, horrible, frightful, awful
hortelano, *m.* gardener
hospiciano, -a, orphan (of an orphanage)
hospicio, *m.* orphanage
hostil, hostile
hoy, today

hubo, *see* **haber**
hueco, *m.* hollow
Huelva, seaport in southwest Spain
huérfano, *m.* orphan
huerta, *f.* large vegetable garden; irrigated land (of Valencia)
hueso, *m.* bone
huésped, *m.* guest; host; **casa de —es,** boarding-house
huevo, *m.* egg
huir, to flee
humanidad, *f.* humanity
humano, -a, human; humane
húmedo, -a, moist, damp, wet
humildad, *f.* humility
humilde, humble
humildemente, humbly
humildísimo, -a, *super. of* **humilde**
humo, *m.* smoke
humor, *m.* humor
hundir(se), to sink
huracán, *m.* hurricane
huyendo, *see* **huir**
huyó, *see* **huir**

I

íbamos, *see* **ir**
ideal, ideal, handsome
identidad, *f.* identity
identificar, to identify
identifique, *see* **identificar**
idilio, *m.* idyl
idiota, *m.* fool, idiot; idiotic, foolish
ídolo, *m.* idol
iglesia, *f.* church
ignorar, to be ignorant of, not to know
igual, equal, like; same; similar; **— que,** the same as
igualmente, equally; likewise
iluminar, to illumine, illuminate, light
ilusión, *f.* illusion
imagen, *f.* image; figure, picture
imaginación, *f.* imagination
imaginar(se), to imagine, conceive
imbécil, imbecile, stupid
imitar, to imitate
impaciencia, *f.* impatience
impedir, to impede, obstruct, prevent
imperativo, -a, imperative, commanding
impidieron, *see* **impedir**
implacable, implacable, inexorable
imponente, imposing
imponer, to impose, order
importador, -a, importer, importing
importancia, *f.* importance
importante, important; **lo —,** the important thing
importar, to import; to matter, to be important; **¿qué —?,** what does it matter?
imposible, impossible
imprecación, *f.* imprecation, curse
impresión, *f.* impression, sensation
impresionar, to impress
inaccesible, inacessible, impassable
incapaz, incapable
incendiario, -a, incendiary, burning
incidente, *m.* incident, affair, happening
incienso, *m.* incense
incitar, to incite, urge
inclinar, to incline; bend; bow; stoop; tilt; **—se,** to stoop, bend over
incorporarse, to sit up in bed; straighten up, rise
indeciso, -a, undecided
indio, -a, Indian
indiano, *m.* word used to describe a native Spaniard who has

lived a long time in America and returns eventually to his homeland
indicación, *f.* indication, sign, signal
indicar, to indicate
indiferencia, *f.* indifference
indiferente, indifferent
indígena, indigenous, native
indisputable, unquestionable
individualizar, to individualize
individuo, *m.* individual, person
indudablemente, undoubtedly
inefable, ineffable, unutterable, deep
inercia, *f.* inertia
infantil, infantile, childlike
infelicidad, *f.* unhappiness, misery
infeliz, unhappy, wretched
infierno, *m.* Hell, Hades
infinito, -a, infinite
informar, to inform; **—se,** to acquaint oneself with, find out
informe, *m.* report; *pl.* information
infundir, to infuse, instil, inspire
inglés, -a, English
ingratitud, *f.* ingratitude
injusto, -a, unjust
inmediatamente, immediately
inmediato, -a, immediate; adjoining
inmensidad, *f.* immensity
inmenso, -a, immense
inmoralidad, *f.* immorality
inmóvil, motionless, still
inmovilidad, *f.* immobility; stillness
inmutable, impassive
inocencia, *f.* innocence
inocente, innocent
inquietud, *f.* restlessness, uneasiness
inscripción, *f.* inscription
insecto, *m.* insect
insensibilidad, *f.* insensibility, unconsciousness
insensible, insensible, unconscious, indifferent
insignificante, insignificant, tiny, unimportant
insistir, to insist
insolente, insolent
inspirar, to inspire
instante, *m.* moment, instant; **al —,** instantly, immediately
instinto, *m.* instinct
instrucción, *f.* instruction, education
instrumento, *m.* instrument
insultar, to insult
insulto, *m.* insult
inteligente, intelligent
intención, *f.* intention
intenso, -a, intense
interés, *m.* interest, selfishness
interesante, interesting
interesar, to interest, awaken interest; **—se,** to be interested
interior, *m.* interior, inside, inner part; **en su —,** to herself
interminable, interminable, endless
internar, to place (in a school)
interrogado, -a, person addressed or questioned
interrogar, to interrogate, question
interrumpir, to interrupt
intervenir, to intervene
íntimo, -a, intimate, confidential
intranquilo, -a, uneasy, restless
intrépido, -a, intrepid, bold, audacious
introducir, to introduce
inútil, useless
inútilmente, uselessly, in vain
inventar, to invent
invertido, -a, inverted
investigar, to investigate

invierno, *m.* winter; **en pleno —,** in the depths of winter, midwinter
invisible, invisible, vague
invitado, *m.* guest
invitar, to invite
Iquique, seaport in northern Chile
ir, to go; **—se,** to go away; **¿cómo le (te) va?,** how goes it with you?, how do you do?; **¡vamos!,** well now!; **vamos a (ver),** let's (see); **¡vaya!,** well now!, really!, indeed!; **¡vaya por la Virgen!,** in the name of the Virgin!
irguió, *see* **erguir**
ironía, *f.* irony
irónico, -a, ironical
irrintzi (*Basque*), cry, call
irritar, to irritate, irk, annoy
isla, *f.* island

J

jabón, *m.* soap
jamás, never; ever
jardín, *m.* garden
jarro, *m.* pitcher
jaula, *f.* cage
jefe, *m.* chief; **— del tren,** conductor
Jesús, Jesus; **¡—!,** Heavens!
jinete, *m.* horseman, rider
jornada, *f.* day's journey; day's work
jornal, *m.* daily wage, wage
joven, young; *m.* young man, youth; *f.* young girl
jovial, jovial, gay
joya, *f.* jewel
juego, *m.* game; gambling
jueves, *m.* Thursday
juez, *m.* judge
jugador, *m.* player; gambler
jugar, to play; **— a las cartas,** to play cards; **— a la pelota,** to play the Basque game called **pelota** or **jai alai**
juguemos, *see* **jugar**
juicio, *m.* judgment; reason; trial; **perder el —,** to lose one's mind
junio, June
juntar, to join, amass, get together, gather
junto, -a, joined; *pl.* together
junto, near, close; **— a,** close to, near; **junto con,** together with
Júpiter, the planet Jupiter
jurar, to swear, to promise
justamente, justly, exactly
justicia, *f.* justice
justo, -a, exact; just; right; **hizo más frío de lo —,** it was colder than usual
juvenil, juvenile, youthful
juventud, *f.* youth
juzgar, to judge, consider; **a — por,** judging by

L

la, the; it, her; **— que,** she who, the one which
labio, *m.* lip
labor, *f.* labor, task, work
laboriosidad, *f.* laboriousness
labrador, *m.* farmer; peasant
labrar, to till
lado, *m.* side; **al —,** next, near; **por un — . . . por otro,** on the one hand . . . on the other
ladrar, to bark
ladrido, *m.* barking
ladrillo, *m.* brick
ladrón, *m.* thief, robber
lago, *m.* lake
lágrima, *f.* tear
lamentación, *f.* lamentation
lamentar, to lament, regret
lamer, to lick
lámpara, *f.* lamp

lanzar, to throw, cast; utter; **—se,** to rush
lápiz, *m.* pencil
largo, -a, long
las, the; those; them; **— que,** those who, those which
lástima, *f.* pity; **¡qué —!,** what a pity!
lata, *f.* tin can, tin
látigo, *m.* whip
lavar, to wash
le, to him, to her, to it, to you; him, her, it, you
leal, loyal, faithful
lección, *f.* lesson
lector, *m.* reader
lectura, *f.* reading
leche, *f.* milk
leer, to read
legítimo, -a, legitimate, authentic
legua, *f.* league
legumbre, *f.* vegetable
lejano, -a, remote, distant
lejos, far; **a lo —,** in the distance; **desde —** from far away
lengua, *f.* tongue; speech, language
lentamente, slowly
lento, -a, slow
leña, *f.* firewood
león, *m.* lion
les, to them, to you; them, you
letra, *f.* letter; letter of credit; **— mayúscula,** capital letter; **— minúscula,** small (lowercase) letter
levantar, to raise; erect; build; lift; **—se,** to rise, get up
leve, light; slight, least
levita, *f.* frock coat
ley *f.* law
leyenda, *f.* legend, tale
leyendo, *see* **leer**
liberal, liberal, generous
Liberia (la), Liberia (*a Negro republic on the west coast of Africa*)
libertad, *f.* liberty, freedom
librar, to free
libre, free
libro, *m.* book; **— talonario,** book with stubs
licencia, *f* license; permission
licor, *m.* liquor
ligereza, *f.* lightness; inconstancy, fickleness
ligero, -a, light, faint; fast, quick
ligero, quickly
limeño, -a, native of Lima
limitar, to limit; **— la marcha,** to reduce speed, slow down
límite, *m.* limit, border
limosna, *f.* alms
limpiar, to clean, polish, brush
limpio, -a, clean; **puro y —,** pure and simple
lindo, -a, pretty, dainty
línea, *f.* line; **— férrea,** railway line, track
linterna, *f.* lantern
líquido, *m.* liquid
lista, *f.* list; **pasar —,** to call the roll
listo, -a, ready; prompt, quick; clever, smart
literalmente, literally
lo, it, him, you; so; **— que,** what, that which
localidad, *f.* locality; locale, place, community, district, region
loco, -a, crazy, insane, mad
locomotora, *f.* locomotive, engine
locura, *f.* folly; madness
lograr, to obtain; manage; succeed in
Loja (sierra de), mountain range in southern Spain
lomo(s), *m.* back (of an animal)
los, the; them; you; **— que,** those, those which, those who

lotería, *f.* lottery; **billete de —,** lottery ticket
luciérnaga, *f.* firefly
lucir, to shine; don, wear; show off, display
lucha, *f.* struggle, fight
luchar, to struggle, fight
luego, presently, in a minute, soon; then; **desde —,** at once, right away; of course; **— que,** as soon as, after
lugar, *m.* place, spot; town, village
luna, *f.* moon; **— de miel,** honeymoon; **hace —,** the moon is shining
lunes, *m.* Monday
luz, *f.* light; **a la — de,** by the light of

LL

llama, *f.* llama (pack-animal of the Andes); flame
llamado, -a, called, so-called
llamar, to call; name; knock (at a door); attract (attention); **—se,** to be called, named
llanto, *m.* weeping, crying
llave, *f.* key; **ama de —s,** housekeeper
llegada, *f.* arrival
llegar, to arrive, reach, go; come to
llegue, *see* **llegar**
llenar, to fill
lleno, -a, full, filled
llevar, to carry, take; wear; lead (a life), live; **—se,** to take away, carry off
llorar, to weep, cry
lluvia, *f.* rain

M

macabro, -a, hideous
madera, *f.* lumber, wood, timber
madero, *m.* piece of wood
madre, *f.* mother
Madrid, capital of Spain
maestro, *m.* teacher, master
mágico, -a, magic, lucky
magnífico, -a, magnificent, splendid
majestuoso, -a, majestic
mal, poorly, badly
mal, *m.* evil, ill; illness; **— de la Puna,** mountain sickness; **— vestido,** badly dressed
malcriado, -a, ill-bred
maldad, *f.* badness; wickedness
maldito, -a, damned, accursed; **¡— seas!,** curse you!
maleta, *f.* valise, suit-case, grip
malicioso, -a, malicious
maligno, -a, malignant, perverse
malo, -a, bad, wicked, mean; ill; **mala ropa,** poor clothes; **lo —,** the trouble, the worst of it
mamá, *f.* mama, mother
Mancha (La), old province in south central Spain
mancha, *f.* spot
mandar, to send; order, command
manera, *f.* manner; way
manga, *f.* sleeve; **subirse las —s,** to roll up one's sleeves
manía, *f.* mania
manso, -a, tame, gentle
mano, *f.* hand; **a —,** by hand; **dar la —,** to shake hands; **cogido de la —,** holding hands, held by the hand
mantener, to maintain, hold, keep; **—se,** to remain
mantiene, *see* **mantener**
manto, *m.* shawl, cloak, layer, mantle
mantuviese, *see* **mantener**
mañana, *f.* morning; **por la —,** in the morning; **hoy por la —,** this morning

mañana, tomorrow; **pasado —,** day after tomorrow
maquinalmente, mechanically
mar, *m. or f.* sea; **la — de,** countless
maravillar, to surprise; amaze; **—se,** to marvel
maravilloso, -a, marvelous, wonderful, rare
marcado, -a, marked; distinct
marcha, *f.* march, journey; speed; **¡en —!,** forward, on your way!; **ponerse en —,** to get under way, start
marchar, to go; march; function; **—se,** to walk away, go away
marfil, *m.* ivory
María, Mary; **¡María Santísima!,** Heavens above!
maridito, *m. dim. of* **marido**
marido, *m.* husband
marinero, *m.* sailor
mármol, *m.* marble
marqués, *m.* marquis
martes, *m.* Tuesday
martillo, *m.* hammer
mas, but
más, more; most; **— que,** more than; **ni — ni menos,** exactly; **no — que,** only
masa, *f.* mass
mascar, to chew
máscara, *f.* mask; **vestida de —s,** in fancy dress
mascota, *f.* mascot
matar, to kill; **por haber matado,** because he had killed
matorral, *m.* thicket
matrimonio, *m.* matrimony, marriage
mausoleo, *m.* mausoleum, tomb
mayor, greater; older; **el** *or* **la —,** greatest; oldest
mayúsculo, -a, *see* **letra**
me, me, to me, for me, myself
mecer, to swing, rock
medianoche, *f.* midnight
médico, *m.* doctor, physician
medido, -a, measured
medio, -a, half
medio, *m.* means; mean; middle
medir (i), to measure
meditar, to meditate, think
mejor, better; **el** *or* **la —,** best
melancólicamente, sadly
melancólico, -a, melancholy, sad
memoria, *f.* memory; **de —,** by heart
menor, smaller; younger; **el** *or* **la —,** least, smallest; youngest
menos, less; **a lo —,** at least; **al —,** at least; **por lo —,** at least
mensajero, *m.* messenger
mentalmente, mentally
mente, *f.* mind
mentir (ie, i), to lie; tell a falsehood
mentira, *f.* lie, falsehood
menudo, -a, minute; **a —,** often
mercado, *m.* market
merecer, to deserve
merezco, *see* **merecer**
mérito, *m.* merit; excellence
mero, -a, mere
mes, *m.* month
mesa, *f.* table
mestizo, -a, half-breed (person of Spanish and Indian blood)
metálico, -a, metallic
meter, to put in, take in, insert
mezcla, *f.* mixture
mezclar, to mix, add, mingle
mi, my
mí, me, myself
miedo, *m.* fear; **tener —,** to be afraid
miel, *f.* honey; **luna de —,** honeymoon
miento, *see* **mentir**
mientras, while, as long as; —

tanto, meanwhile, in the meantime; — **que,** while
miércoles, *m.* Wednesday
mil, thousand, **Las — y una noches,** *The Arabian Nights.*
milagro, *m.* miracle
milagrosamente, miraculously
milagroso, -a, miraculous; miracle-working
millón, *m.* million
millonario, -a, millionaire
mimar, to pet, fondle, spoil
minero, -a, mining; *m.* miner
mintiendo, *see* **mentir**
minúsculo, -a, *see* **letra**
minuto, *m.* minute
mío, -a, mine, of mine; **el —,** mine
mirada, *f.* glance, look
mirar, to look, look at; stare; **¡mira!** (**¡mire!**), listen!, say!
mirlo, *m.* blackbird, thrush
misa, *f.* mass (in church); **al terminar la —,** when mass was over
miserable, wretched; *m.* wretch, pauper
miserablemente, miserably
mísero, -a, wretched
mismo, -a, self, very; same; **aquí —,** right here; **hoy —,** this very day; **lo —,** the same; **lo — que,** as well as; **manaña —,** tomorrow without fail
misterio, *m.* mystery; **con —,** mysteriously
misterioso, -a, mysterious
místico, -a, mystic
mitad, *f.* half; middle; **en —,** half way through
modelar, to model, pose
modo, *m.* manner, way; means; **de — que,** so that; **de ese —,** in that way; **de otro —,** in any other way, otherwise; **de todos —s,** by all means, without fail
molestar, to molest, bother, disturb
molestia, *f.* inconvenience, trouble
momento, *m.* moment, minute
monarca, *m.* monarch, king
monarquía, *f.* monarchy
monasterio, *m.* monastery
monástico, -a, monastic, of or pertaining to a monastery
moneda, *f.* coin; **pequeña —,** change
mono, *m.* monkey
monólogo, *m.* monologue
monótono, -a, monotonous
monstruo, *m.* monster
monstruoso, -a, monstruous, ugly
montaña, *f.* mountain, highland
montañés, *m.* mountaineer, highlander
montar, to mount, ride; climb
monte, *m.* mountain, hill, woods
Montijo (**conde del**), **Eugenio Portocarrero,** father of Eugénie, wife of Napoleon III
montón, *m.* heap, pile
monumento, *m.* monument
moral, moral; mental (as opposed to physical)
morder(**ue**), to bite
morir(**se**) (**ue, u**), to die; **— de repente,** drop dead
moro, *m.* Moor
moro, -a, Moorish
mortal, mortal, fatal, deadly
mosca, *f.* fly
mostrar (**ue**), to show, display; **—se,** to appear
motivo, *m.* cause, reason, motive; **con — de,** owing to
mover (**ue**), to move, shake
movimiento, *m.* movement; gesture
moza, *f.* girl, young woman

mozo, *m.* boy, young fellow; servant, waiter; — **de (la) estación,** porter
muchacha, *f.* girl
muchacho, *m.* boy, son, youngster
muchedumbre, *f.* crowd, throng
mucho, much, a lot of, a lot; long (time); *pl.* many
mucho, much, greatly, very, a lot; **lo** —, how much
mudar, to change; **-se,** move (from one house to another)
mudo, -a, dumb, silent
muelle, *m.* wharf, pier, dock
muero, *see* **morir**
muerte, *f.* death; **dar** —, to kill
muerto, *past part. of* **morir,** dead, killed; **los —s,** the dead
muestra, *f.* sign, indication
mujer, *f.* woman; wife
mujercita, *f. dim. of* **mujer**
mula, *f.* mule
multicolor, many-colored
multitud, *f.* multitude
mundo, *m.* world; **todo el** —, everybody
murmullo, *m.* murmur
murmurar, to murmur, mutter
muro, *m.* wall
músculo, *m.* muscle
museo, *m.* museum
música, *f.* music
muy, very

N

nacer, to be born; sprout
nada, nothing; anything
nada, *f.* nothingness
nadie, nobody; anybody
nariz, *f.* nose; — **roma,** flat-nosed
narración, *f.* narrative, story
natal, native
natural, natural; native
naturaleza, *f.* nature
naturalmente, naturally
Navidad, *f.* Christmas
necesario, -a, necessary
necesidad, *f.* necessity, need
necesitado, -a, needy
necesitar, to need, be in need of
negar (ie), to deny; **—se a,** to refuse to
negocio, *m.* business, deal, affair; *pl.* business
negro, -a, black, dark
Nerón, Nero (Roman emperor)
nervioso, -a, nervous
nevada, *f.* snowfall
ni, neither, nor, not even; — . . . —, neither . . . nor; — **siquiera,** not even
nicho, *m.* niche
nido, *m.* nest
niegue, *see* **negar**
nieve, *f.* snow
ningún (*used for* **ninguno** *before a masc. sing. noun*)
ninguno, -a, no, no one, none; any; **en ninguna parte,** nowhere
niña, *f.* child, girl, little girl
niñez, *f.* childhood
niño, *m.* child, boy, little boy
níquel, *m.* nickel
nivel, *m.* level, — **del mar,** sea level
no, no; not; **¡que —!,** I should say not! — **más que,** only
noble, noble, distinguished
noche, *f.* night; **de** —, at night; **anoche,** last night; **Las mil y una noches,** *The Arabian Nights*
nombrar, to name, mention; appoint
nombre, *m.* name
norte, *m.* north
nos, us, to us, for us, ourselves
nosotros, we, us, ourselves
nostalgia, *f.* nostalgia, homesickness

nota, *f.* note; color
notar, to note, remark, notice
noticia, *f.* news
novela, *f.* novel
novelista, *m.* novelist
novia, *f.* sweetheart, fiancée, "girl friend"
novicio, *m.* new recruit
novio, *m.* lover, "boy friend," fiancé, sweetheart
nube, *f.* cloud
nubecilla, *f. dim. of* **nube**
nuca, *f.* nape of the neck
nuestro, -a, our, ours
nuevas, *f. pl.* news
nueve, nine
nuevo, -a, new; **de** —, again
número, *m.* number
numeroso, -a, numerous, many, large
nunca, never; ever

Ñ

ño, *popular contraction of* **señor**

O

o, or
obedecer, to obey
objeto, *m.* object
obligar, to oblige, compel, force
obra, *f.* work, deed
obrero, *m.* worker, laborer
obscuridad, *f.* darkness
obscuro, -a, obscure, dark
obstáculo, *m.* obstacle
ocasión, *f.* occasion, opportunity, chance
océano, *m.* ocean, sea
ocultar, to hide, conceal
oculto, -a, hidden, concealed
ocupar, to occupy; **—se en,** to attend to, to busy oneself with
ocurrir, to occur, happen; **ocurrírsele (a uno),** to have a notion, to take into one's head
ocho, eight
oeste, *m.* west
ofender, to offend
ofensivo, -a, offensive
oficial, *m.* officer
ofrecer, to offer; **¿qué se (le) ofrece?,** what now?, what do you want?
ofrezco, *see* **ofrecer**
oí, *see* **oír**
oíd, *see* **oír**
oído, *m.* ear; hearing; **prestar** —, to listen
oigo, *see* **oír**
oír, to hear
ojalá, would that, if only
ojito, *m. dim. of* **ojo**
ojo, *m.* eye
ola, *f.* wave
olor, *m.* odor, smell
olvidar, to forget; **—se de,** to forget
olvido, *m.* forgetfulness, absentmindedness
omitir, to omit, leave out
omnipotente, omnipotent, almighty
once, eleven
oprimir, to oppress, grasp, squeeze
opuesto, *past part. of* **oponer,** opposed; opposite
oración, *f.* prayer; sentence
orden, *f.* order, command
oreja, *f.* (outer) ear
organizar, to organize, arrange
organizador, -a, organizer; organizing
orgullo, *m.* pride; **con** —, proudly
orgulloso, -a, proud
orientación, *f.* landmark
origen, *m.* origin, source
original, original, peculiar, strange
orilla, *f.* bank (of a stream); shore
oro, *m.* gold
ortografía, *f.* spelling

os, you, to you, yourselves
Osuna (**el duque de**), a Spanish grandee
otro, -a, other, another; **el uno al —,** one another; **otra cosa,** something else; **otra vez,** again
Oviedo, city in northwest Spain
oyendo, *see* **oír**
oyó, *see* **oír**

P

paciencia, *f.* patience; **no nos tientes la —,** don't try our patience
paciente, patient
pacífico, -a, peaceful, quiet
Pacífico, *m.* Pacific Ocean
Pacha-Mama, *f.* Indian goddess
padre, *m.* father; priest
pagar, to pay
página, *f.* page
pago, *m.* payment
país, *m.* country, land
paisaje, *m.* landscape
paisano, *m.* fellow-countryman
paja, *f.* straw
pájaro, *m.* bird
palabra, *f.* word
palacio, *m.* palace
palidecer, to turn pale
pálido, -a, pale, white
paliza, *f.* beating
palma, *f.* palm
palo, *m.* club, stick; **a —s,** by dint of clubbing, with blows
palpitar, to twinkle
pan, *m.* bread
Panchita, Fanny
pantalón, pantalones, *m.* trousers
panza, *f.* paunch, belly
pañuelo, *m.* handkerchief
papá, *m.* papa
papel, *m.* paper, letter, note
papelito, *m. dim. of* **papel**
paquete, *m.* package, bundle; bale
par, *m.* pair, couple
para, to, for, in order to, in the direction of; **— que,** in order that
paraguas, *m.* umbrella
parálisis, *f.* paralysis
parar, to stop; **—se,** to come to a halt
parásito, *m.* parasite; stowaway
parecer, to seem, to appear; **—se,** to resemble; **al —,** seemingly; **¿qué le parece?** what do you think?
pared, *f.* wall
París, Paris
parque, *m.* park
parra, *f.* vine
parte, *f.* part, share; side; **de mi —,** on my side; **en** (*or* **por**) **todas —s,** everywhere; **por otra —,** moreover; **ninguna —,** nowhere; **por su —,** on his part
particularmente, particularly, especially
partida, *f.* departure
partir, to leave, depart; to split; **partían el alma,** were heart-rending
pasado, -a, past, last; **— mañana,** day after tomorrow
pasaje, *m.* steamship ticket
pasajero, *m.* passenger, traveler
pasaporte, *m.* passport
pasar, to pass; to happen; **— revista,** to review, go over; **a —lo,** to do, to live; **—lo mal,** fare badly; **— lista,** to call the roll; **¿qué pasa?** what is happening?
pasear, to walk, stroll, carry, ride; pass; **—se,** to walk, take a walk
paseo, *m.* walk, promenade, ride, passage; **mandar a —,** to turn a cold shoulder
pasión, *f.* love, passion
paso, *m.* pass; path, passage, step,

gait; way; stamping; **a pocos —s,** after a few steps; **dar un —,** to take a step; **dejar —,** to give way; **— a —,** step by step
pastor, *m.* shepherd; **— de cabras,** goatherd
pata, *f.* leg (of an animal); **doblar las —s,** to collapse
paternal, paternal, fatherly
paternidad, *f.* paternity, fatherhood; **su —** (in addressing a monk), father
patio, *m.* patio, courtyard
patria, *f.* mother country; **— chica,** one's own region
patriota, *m. and f.* patriot; patriotic
patriótico, -a, patriotic
patrón, *m.* patron; patron saint; boss
paz, *f.* peace, calm; **y en —,** that's all there is to it
peatón, *m.* pedestrian
pecho, *m.* chest, heart
pedazo, *m.* piece; **hacer —s,** to crush
pedir (i), to ask for; **— prestado (a),** to borrow (from)
pegar, to glue, fasten, attach; stick together; beat
peinar, to comb; **—se,** to comb one's hair
pelea, *f.* quarrel, fight
pelear, to quarrel, fight
peligro, *m.* danger, risk
peligroso, -a, dangerous
pelo, *m.* hair
pelota, *f.* ball; **jai alai** (a Basque game)
pena, *f.* pain, suffering, grief; distress, regret; pity
pender, to be pending; to hang
pendiente, pending; hanging
penetrar, to penetrate
penitencia, *f.* penitence, penance
penitente, penitent, contrite
pensamiento, *m.* thought
pensar (ie), to think; **— bajar,** to plan to go down; **— en,** to think about; **— de,** to have an opinion on, to think of
peor, worse; **lo —,** the worst
pepita, *f.* stone, seed, kernel
pequeñísimo, -a, *super. of* **pequeño**
pequeñito, -a, *dim. of* **pequeño**; a little bit of a thing
pequeño, -a, small, tiny
perder (ie), to lose; **—se,** to get lost
pérdida, *f.* loss
perdón, *m.* pardon
perdonar, to pardon, excuse; spare
perecer, to perish
pereza, *f.* laziness
perezoso, -a, lazy
perfectamente, perfectly
perfecto, -a, perfect
perfil, *m.* profile
perfume, *m.* perfume
periódico, *m.* newspaper
periodista, *m.* journalist
perjuicio, *m.* prejudice; injury, detriment, damage
permanecer, to remain
permiso, *m.* permission
permitir, to permit, allow
pero, but
perro, *m.* dog
perseguir (i), to persecute, chase, go after
perseverar, to persevere
persiguiendo, *see* **perseguir**
persona, *f.* person; **en —,** in person
personaje, *m.* personage, character, person
pertenecer, to belong
Perú (el), Peru
perverso, -a, perverse, wicked, mean, depraved, evil

pesadamente, heavily, slowly
pesado, -a, heavy
pesar, *m.* grief; **a — de (que),** in spite of (the fact that)
pesca, *f.* fishing; **pueblo de —,** fishing village
pescuezo, *m.* neck
peseta, *f.* peseta (*Spanish monetary unit, according to the present rate of exchange worth about ten cents and sixteen cents when at par*)
peso, *m.* (A monetary unit whose value varies with the country)
petaca, *f.* bale
pez, *m.* fish
piadoso, -a, pious
picardía, *f.* trick
picarón, *m. aug. of* **pícaro,** rogue, rascal
pico, *m.* bill, beak of a bird; peak; **sombrero de tres —s,** three-cornered hat
pichón, *m.* young pigeon, bird; young fellow
pidiera, *see* **pedir**
pie, *m.* foot; **a —,** on foot; **en —,** standing
piedad, *f.* pity; mercy; piety
piedra, *f.* stone
piel, *f.* skin, fur
pienso, *m.* feed, ration
pierna, *f.* leg; **dormir a — suelta,** to sleep like a log, to sleep soundly
pieza, *f.* piece; room; coin
pillo, *m.* rogue, burglar, scoundrel, thief
pintar, to paint, depict, describe, show, appear
pipa, *f.* pipe
pirámide, *f.* pyramid
placer, *m.* pleasure
plácido, -a, placid, calm, peaceful
planta, *f.* plant
plantar, to plant; **—se,** to reach, arrive; stand upright
plata, *f.* silver
plato, *m.* plate; dish
playa, *f.* shore
plaza, *f.* position, job, post; **P— de Armas,** Main Square; **— de toros,** bull ring, arena
plazo, *m.* term, time
plazoleta, *f.* clearing
pleno, -a, full, complete, utter; **en — día (sol),** in broad daylight; **en — invierno,** in the depths of winter, midwinter
pluma, *f.* plume, feather; pen
población, *f.* population; city; town, village
pobre, poor, miserable
pobrecito, *dim. of* **pobre,** poor thing
poco, not much, little; small amount; **a —,** shortly after; **— a —,** little by little; **— antes,** shortly before; **al — rato,** a little later; **— más o menos,** more or less; **— después,** shortly after
pocos, -as, few
poder, *m.* power; possession; **entrar** *or* **caer en — de,** to fall into the hands of
poder (ue), to be able, can; **no — menos,** not be able to help; **no — más,** to be exhausted
poderoso, -a, powerful, strong, mighty, great
podría, *see* **poder**
poema, *m.* poem
poético, -a, poetic
policía, *m.* policeman
policía, *f.* police
Polifemo, one-eyed cyclop in Greek mythology
político, -a, political
polvo, *m.* dust, powder

pon, *see* **poner**
poncho, *m.* poncho (*cloak made of a blanket, with a slit for the head*)
poner, to put, place, set, lay; give; establish; **—se,** to put on (clothes); **—se** (of the sun, moon and stars), to set; **—se,** to become; turn; **—se a,** to begin, start; **—se en marcha,** get under way, start; **con el sombrero puesto,** with one's hat on
por, for, by, on account of, through, for the sake of
porcelana, *f.* porcelain
porción, *f.* portion, part; number
porque, because
¿por qué? why?
portero, *m.* doorman, janitor
portezuela, *f. dim. of* **puerta,** door (of a train or car)
posada, *f.* lodging, lodging-house; inn, tavern
poseer, to possess
posibilidad, *f.* possibility
posponer, to postpone, put off
poste, *m.* post, telegraph pole
potro, *m.* colt, young horse, foal
pozo, *m.* well, spring
preceder, to precede
precio, *m.* price
preciosísimo, -a, *super. of* **precioso**
precioso, -a, precious, rare
precipicio, *m.* precipice
precisamente, precisely
preciso, -a, necessary
precoz, *pl.* **precoces,** precocious
predominar, to predominate
preferir (ie, i), to prefer
prefirió, *see* **preferir**
pregunta, *f.* question
preguntar, to ask, question
premio, *m.* prize; **— gordo,** first prize (in a lottery); **sacar —,** to win a prize
prensa, *f.* press, newspapers
preocupar, to worry
preparar, to prepare
preparativo, *m.* preparation
presa, *f.* prey, prize
presencia, *f.* presence
presentar, to present, offer; **—se,** to show up, appear
presente, present; *n.* person present, guest
presidente, *m.* president
preso, -a, apprehended, arrested; **estar preso,** to be caught
prestado, -a, lent, loaned; **pedir — (a),** to borrow (from)
préstamo, *m.* loan; **tomar a —,** to borrow
prestar, to lend; **— oído,** to listen
pretexto, *m.* pretext
primavera, *f.* spring
primaveral, of spring, springlike
primer, *used for* **primero** *before masc. sing. noun*
primeramente, first, in the first place
primero, -a, first; **dos de primera,** two first-class tickets
primitivo, -a, primitive
princesa, *f.* princess
príncipe, *m.* prince; **P— de Gales,** Prince of Wales
principiar, to begin
principio, *m.* beginning; **al —,** at first
privación, *f.* privation
privar, to deprive; **—se,** to deprive oneself
probar (ue), to prove; taste; try
problema, *m.* problem
procedencia, *f.* origin
procesión, *f.* procession
procurar, to procure, obtain; try
prodigioso, -a, phenomenal, remarkable
producción, *f.* production

producir, to produce
productivo, -a, productive
producto, *m.* product
profesión, *f.* profession, occupation
profesional, professional
profeta, *m.* prophet
profundamente, profoundly, deeply, soundly
profundidad, *f.* profundity, depth
profundo, -a, profound, deep
progreso, *m.* progress
promesa, *f.* promise
prometer, to promise
pronto, soon; **de —,** suddenly; **tan — como,** as soon as
pronunciación, *f.* pronunciation
pronunciar, to pronounce, utter
propiedad, *f.* property, land
propio, -a, proper; suitable; own
proponer, to propose
propongo, *see* **proponer**
prosperar, to prosper
protección, *f.* protection
proteger, to protect
protesta, *f.* protest, protestations
protestar, to protest; object
proverbio, *m.* proverb
Providencia, *f.* Providence
provincia, *f.* province
provisión, *f.* provision
provocar, to provoke, cause
próximo, -a, near, nearby, next, adjacent; **— a** *plus inf.*, about to
proyecto, *m.* project, plan
prueba, *f.* proof, demonstration
prueba, *see* **probar**
público, -a, public, known; **público,** *m.* public
pudo, *see* **poder**
pueblecillo, *m. dim. of* **pueblo**
pueblecito, *m. dim. of* **pueblo**
pueblo, *m.* town; lower classes, populace; **— bajo,** lower class
puerta, *f.* door; **la P— del Sol,** central square of Madrid
puerto, *m.* port
pues, since, because, for, then, therefore; **— bien,** well then; **así —,** so then
puesto, *past. part. of* **poner,** placed, put, located
puesto, *m.* stand, stall; **— de verduras,** vegetable stand
puesto que, since
puma, *m.* puma (South American lion)
puna, *f.* bleak, arid tableland; **mal de la —** (also called **soroche**), mountain sickness, a disease caused by rarefaction of the air at great altitudes; **Puna de Atacama,** Andean plateau between Chile, Bolivia and Peru
punta, *f.* point, end
punto, *m.* point, dot; place; **estar a —,** to be on the point, to be on the brink; **al —,** immediately
puntual, punctual, dependable, reliable
puntualmente, punctually
puñetazo, *m.* blow with the fist, punch
puño, *m.* fist
pupila, *f.* pupil (of the eye)
pupilo, -a, boarder
Purgatorio, *m.* Purgatory
pureza, *f.* purity
puro, -a, pure
puso, *see* **poner**

Q

que, who, whom, which, that; for; than; as; **creo — sí (no),** I believe so (not)
qué, how; **¡— de!,** how many!

¿qué?, what?, how?; **¿para —?,** what for?; **¿por qué?,** why?
quebrada, *f.* ravine, gorge; **Q— del Diablo,** Devil's gorge
quedar, to remain, be left; be; **—se,** to be, stay, be left, remain; **—se con,** to take, keep, retain
queja, *f.* complaint, lamentation
quejarse, to complain
quemar, to burn
querer, to want, wish; care for, love; be willing; try; **— decir,** to mean; **— mal,** to dislike
querido, -a, dear, beloved
querrás, *see* **querer**
queso, *m.* cheese
quien, who, whom; whoever, a person who, someone who, anyone who
¿quién?, who?, whom?; **¿de —?,** whose?
quince, fifteen
quinientos, -as, five hundred
quise, *see* **querer**
quiso, *see* **querer**
quitar, to take away, take off, remove; **—se,** to take off (clothes)
quitasol, *m.* parasol
quizá(s), perhaps

R

rabo, *m.* tail
rac-rac, *m.* croaking
radiante, radiant
rama, *f.* branch
rana, *f.* frog
rápidamente, rapidly
raquítico, -a, sickly
rarefacción, *f.* rarefaction
raro, -a, rare; serious, strange
rata, *f.* rat
rato, *m.* while; (short) time; **al poco —,** in a little while, a little later, shortly afterward
rayo, *m.* ray, beam, flash; thunderbolt
raza, *f.* race, people
razón, *f.* reason; word; **—es,** discourse; **tener —,** to be right
razonable, reasonable
real, real; royal; regal
real, *m.* real (*a Spanish monetary unit, equal to one-fourth of a peseta, or, 4 cts. At the present rate of exchange about two cents and a half*)
realidad, *f.* reality, truth; **en —,** really
realizar, to make real, fulfil; turn into cash
realmente, really
rebelar, to rebel; **—se,** to rebel, rise (against)
rebolanda, *f.* "*Fatty*"
recaudador, *m.* tax collector
recibir, to receive; take
recibo, *m.* receipt
recién (*used instead of* **reciente** *before past participles*), recently; **— llegado,** newcomer
recobrar, to recover, regain
recoger, to pick, pick up, hold up; gather, collect
reconciliación, *f.* reconciliation
reconocer, to recognize; examine closely
reconozca, *see* **reconocer**
recordar (ue), to recall, remember; remind
recto, -a, straight, direct
recua, *f.* drove (of beasts of burden)
recuerdo, *m.* recollection, remembrance; *pl.* regards
recurso, *m.* resource, recourse; **recursos,** resources, means
rechazar, to repel, repulse; turn down
red, *f.* net; luggage rack

redondo, -a, round
reducir, to reduce; confine
redujeron, *see* **reducir**
referir (**ie, i**), to refer; relate, tell; **—se a,** to refer to
reflejo, *m.* reflection, gleam
reflexionar, to reflect, think
refrescante, refreshing
refugiar, to shelter, protect; **—se,** to take refuge
refugio, *m.* refuge, shelter
regalar, to give (a present)
regalo, *m.* gift
regar (**ie**), to irrigate, water
regimiento, *m.* regiment
región, *f.* region, district
regional, regional, provincial
regla, *f.* rule; **en —,** officially
regocijo, *m.* joy, rejoicing
regresar, to return
reina, *f.* queen
reinar, to reign
reino, *m.* kingdom
reír, to laugh
relacionar, to relate
relámpago, *m.* (flash of) lightning
religioso, -a, religious
relincho, *m.* neigh, neighing
reloj, *m.* clock; watch
remedio, *m.* remedy; **no hay —,** there's no way out; **¡qué —!,** how could it be helped? **sin —,** inevitable; inevitably, without fail
remo, *m.* oar
remolienda, *see* **casa**
remordimiento, *m.* remorse, regret
remoto, -a, remote, distant
remover, to remove
renunciar, to renounce, give up
reñir (**i**), to quarrel; scold
repasar, to pass again; to review
repente: de —, suddenly; **morir de —,** to drop dead
repetición, *f.* repetition
repetido, -a, repeated; **—as veces,** time and again, often
repetir (**i**), to repeat; recur
repitieron, *see* **repetir**
replicar, to retort, reply
representar, to represent; perform (a play); show; mean
reprimir, to repress, curb
república, *f.* republic
reservar, to reserve, save
residencia, *f.* residence
resistir, to resist; hold out; bear, endure, **—se a,** to resist, offer resistance
resolución, *f.* resolution, decision
resolver (**ue**), to resolve, decide; solve (a problem)
resonar (**ue**), to resound, jingle, clink
respectivo, -a, respective; corresponding
respetar, to respect
respeto, *m.* respect
respirar, to breathe
responder, to answer, reply; correspond
respuesta, *f.* answer, reply
resto, *m.* rest, remainder; *pl.*, remains
resuelto, *past part. of* **resolver**
resultado, *m.* result
resultar, to result; turn out, prove to be, be
resumen, *m.* summary, résumé; **en —,** in short
retardar, to delay, hold up
retintín, *m.* tinkling, jingling
retirar (**se**), to withdraw, retire
retorcido, -a, twisted, crooked
retraso, *m.* delay
reunión, *f.* reunion, meeting
reunir, to gather, bring together; save, collect
revelar, to reveal
revendedor, *m.* retailer

reverencia, *f.* reverence, innocence, respect
revista, *f.* review; periodical; **pasar —,** to look over, review
revólver, *m.* revolver, gun
rey, *m.* king
rezar, to pray; **— una oración,** say a prayer
ricamente, richly
rico, -a, rich, wealthy; fertile; delicious (of food)
riega, *see* **regar**
riel, *m.* rail, track
riendo, *see* **reír**
riente, laughing
riesgo, *m.* risk, danger
rígido, -a, rigid, stiff
rima, *f.* rhyme
rincón, *m.* corner, nook
rió, *see* **reír**
río, *m.* river
riqueza, *f.* riches, wealth, treasure
risa, *f.* laughter
risueño, -a, smiling
rival, *m. and f.* rival
robar, to rob, steal
robo, *m.* theft
robusto, -a, robust, strong
roca, *f.* rock, stone
rodar (ue), to roll
rodear, to surround
rodilla, *f.* knee; **de —s,** kneeling, on their knees
rogar (ue), to beg
rojo, -a, red
roma: *see* **nariz**
romántico, -a, romantic; romanticist
romería, *f.* pilgrimage; picnic at a shrine
romper, to break; tear, sever
ronco, -a, hoarse
roncha, *f.* sore; bruise
ropa, *f.* clothes
rosa, *f.* rose; **(color) de rosa,** pink
Rosalindo, *m.* proper name; (it means "beautiful as a rose")
rostro, *m.* face, countenance
roteño, -a, native of Rota
roto, *past part. of* **romper,** torn, broken
roto, *m.* (Chilean) vagabond, tramp
rubí, *m.* ruby
rubio, -a, blond, blonde
rueda, *f.* wheel
ruedan, *see* **rodar**
ruego, *m.* entreaty, request
ruego, *see* **rogar**
rugido, *m.* roar; roaring
rugoso, -a, wrinkled
ruido, *m.* noise, sound
ruina, *f.* ruin
rústico, -a, rustic
ruta, *f.* route

S

sábado, *m.* Saturday
sábana, *f.* sheet
saber, to know; *in pret.*, learned (of); **bien sabía,** he knew only too well
sabrá, *see* **saber**
sabría, *see* **saber**
sacar, to draw out, take out, hold out, stick out, show; redeem; **— a luz,** to take out, make known, publish; **— el gordo,** to win the first prize; **— premio,** to win a prize
saco, *m.* bag, sack
sacrificio, *m.* sacrifice
sacudir, to shake
sagrado, -a, sacred
sajón, Saxon
sal, *f.* salt; wit
sala, *f.* room, hall
saldré, *see* **salir**
salida, *f.* exit; departure; escape; way out

salir, to go, leave, set out; — **bien,** to pass (an examination); — **con,** to come out with
salitre, *m.* nitrate
salitrera, *f.* nitrate field; *adj.*, **salitrero, -a,** pertaining to nitrate
salón, *m.* room, hall, parlor
saloncito, *m. dim. of* **salón**
Salta, city in northern Argentina
saltar, to jump
salteador, *m.* highwayman, robber
salteño, -a, native of Salta
salto, jump; **dar un** —, to jump, leap
salú . . . , *popular pronunciation of* **salud,** *f.* health
saludar, to salute, greet
saludo, *m.* greeting
salvación, *f.* salvation
salvaje, savage
salvajemente, savagely
salvar, to save
salvo, safe; save, excepting; **sano y** —, safe and sound
sangre, *f.* blood; — **fría,** presence of mind; **correría la** —, there would be bloodshed
sangriento, -a, bloody; cruel, bloodthirsty; blood-red, red
sanguinario, -a, bloodthirsty
sano, -a, sound, healthy; — **y salvo,** safe and sound
Santiago, capital of Chile
santísimo, -a, *super. of* **santo, -a**
santo, -a, holy, sainted
santo, *m.* saint
sapo, *m.* toad
saque, *see* **sacar**
sargento, *m.* sergeant
sartén, *f.* frying-pan
satisfacción, *f.* satisfaction
satisfacer, to satisfy
satisfechísimo, -a, *super. of* **satisfecho, -a**
satisfecho, -a, *past part. of* **satisfacer**
se, oneself, him, her, it, yourself, to him, to her, to it, to them, to you
sé, *see* **saber**
sea, *see* **ser**
secar, to dry; **acabasen de —se,** had just gone dry
seco, -a, dry, dried, dried-up; tearless
secretamente, secretly, inwardly
secreto, *m.* secret
secundario, -a, secondary
sed, *f.* thirst
seda, *f.* silk
sedimento, *m.* sediment
segador, *m.* reaper, harvester
seguido, -a, followed, continued; **en seguida,** immediately
seguir (**i**), to follow; continue, keep on, go on
según, according to, as
segundo, -a, second; **de segunda,** second class
segundo, *m.* second
seguramente, surely
seguridad, *f.* security, safety; certainty
seguro, -a, sure, secure, steady, natural
seis, six
sello, *m.* stamp; — **de correo,** postage stamp
semana, *f.* week
sembrar (**ie**), to sow, plant
semejante, similar
semicírculo, *m.* semicircle
sencillamente, simply
sencillo, -a, simple
sendero, *m.* path, trail
sensación, *f.* sensation
sentar (**ie**), to seat; **—se,** to sit down
sentencia, *f.* sentence

sentido, *m.* sense; direction; **buen —,** common sense; **con los cinco —s,** with all one's heart and soul; **en — contrario,** in the opposite direction; **perder el —,** to faint
sentimental, sentimental, emotional
sentimiento, *m.* feeling
sentir (ie, i), to feel; to feel sorry (about); hear; **—se,** to feel
señal, *f.* sign, mark, symptom
señalar, to point out; to appoint
señas, *f. pl.* address; description; **presentar las —,** tell of the whereabouts
señor, Sir, Mr.; Lord; gentleman
señora, *f.* Mrs., madam; lady
señorita, *f.* lady, miss, young girl
señorito, *m.* young gentleman; sir
sepa, *see* **saber**
separar, to separate
septiembre, September
sepulcral, sepulchral
sepulcro, *m.* sepulchre
sepultar, to bury
sepultura, *f.* grave
ser, *m.* being
ser, to be; **— de,** to become of, to happen to; **o sea,** that is
serenidad, *f.* serenity, calm
sereno, -a, serene
seriedad, *f.* seriousness; **con —,** seriously
serio, -a, serious
servicio, *m.* service; servants
servidor, *m.* servant
servir (i), to serve, to set, to act, work, to be useful; **— de,** serve as; **— para,** to be good for; **¿en qué puedo servirla?,** what can I do for you?
sesenta, sixty
severo, -a, severe
Sevilla, Seville
si, if
sí, yes; **¡que sí!,** indeed! I should say so!
siembra, *see* **sembrar**
siempre, always; **para —,** forever; **— que,** every time that
siéntate, *see* **sentarse**
sierra, *f.* mountain ridge
siete, seven
siga, *see* **seguir**
siglo, *m.* century
significar, to signify, mean
signo, *m.* sign
sigue, *see* **seguir**
siguiente, next, following
siguió, *see* **seguir**
silbido, *m.* whistling; hiss
silencio, *m.* silence
silencioso, -a, silent, quiet
silla, *f.* chair; saddle
sillón, *m.* armchair
simetría, *f.* symmetry
simpático, -a, agreeable, charming, likable, pleasant; **me eres —,** I like you
sin, without; **— que,** *conj.* without; **— embargo,** however
sincero, -a, sincere
sinfín, *m.* a lot, a great deal
sino, only, but, except
sintió, *see* **sentir**
siquiera, even; **ni —,** not even
sirve, *see* **servir**
sitio, *m.* place
situación, *f.* state, condition
situar, to situate, place, locate
soberana, *f.* sovereign, queen
sobre, above, on, upon, over, in addition to; **— todo,** above all, especially
sobrenatural, supernatural
sobretodo, *m.* overcoat
sobrinito, -a, *dim. of* **sobrino, -a**
sobrino, -a, nephew; niece
socio, *m.* partner

sofá, *m.* sofa
sofocar, to suffocate, smother
soga, *f.* rope
sol, *m.* sun; **en pleno —,** in broad daylight
soldado, *m.* soldier
soledad, *f.* solitude, waste
solemne, solemn
solemnidad, *f.* solemnity
soler (ue), to be used to, be accustomed
sólido, -a, solid; stout, strong
solitario, -a, solitary, lonely; lonely dweller, anchorite
solo, -a, alone; **a solas,** alone, to himself (herself)
sólo, only
soltar (ue), to unfasten, loosen; give up, let go; to turn loose; **— la carcajada,** to burst out laughing
soltera, *f.* unmarried woman, spinster
sombra, *f.* shadow, shade
sombrero, *m.* hat; **seguir con el — puesto,** to keep one's hat on
sombrío, -a, dark, gloomy
son, *m.* sound; music, strain
sonámbulo, *m.* sleepwalker
sonar (ue), to sound, ring
sonido, *m.* sound
sonoro, -a, sonorous, clear
sonreír (i), to smile
sonriente, smiling
sonrisa, *f.* smile
sonsonete, *m.* singsong
soñador, -a, dreaming; dreamer; romantic
soñar (ue), to dream; **— con,** to dream of
soplar, to blow
soportal, *m.* arcade
sordo, -a, deaf
sorprender, to surprise
sorpresa, *f.* surprise
sospecha, *f.* suspicion
sospechar, to suspect
sostener, to sustain, hold, support
sotana, *f.* cassock
soy, *see* **ser**
su, sus, his, her, its, your, their
suave, soft
suavemente, softly
suavísimo, -a, *super. of* **suave**
subir, to go up, come up, rise, climb; get into (a vehicle); raise, bring up, take up; **subirse las mangas de la camisa,** to roll up one's shirt sleeves
sublime, sublime, happy
subsistir, to subsist, eke out a living, get along
substancia, *f.* substance
suceder, to happen
suceso, *m.* event, happening
sucesor, *m.* successor
sudor, *m.* perspiration, sweat
sudoroso, -a, perspiring, sweating
suelo, *m.* ground, soil; floor; **por el —,** all over the floor
suelto, -a, loose
suena, *see* **sonar**
sueño, *m.* sleep; dream; **— violento,** bad dream, nightmare
suerte, *f.* luck; good luck; fate; **tener —,** to be lucky
sufrido, -a, long-suffering, patient, enduring
sufrir, to suffer, to be a victim of, to be subject to
sujetar, to subject; hold, hold in place
sujeto, -a, subject, under
sultán, *m.* sultan
suma, *f.* sum, total
sumir, to plunge
supe, *see* **saber**
supersticioso, -a, superstitious
suponer, to suppose
supremo, -a, supreme

supuesto, -a, supposed, assumed; **por —,** of course
sur, *m.* south
suspender, to suspend, interrupt; hang
suspenso, -a, hanging; in suspense
suspirar, to sigh
suspiro, *m.* sigh; **dar un —,** to sigh
suyo, -a, his, hers, its, yours, theirs

T

taberna, *f.* tavern; **poner —,** to open a tavern
tal, such, such a; **— como,** just as; **— cual,** such as, just as; **— o cual,** some or other; **con — que,** provided that; **— vez,** perhaps
talento, *m.* talent, ability
talonario, -a, with stubs; **libro —,** book with stubs (like a receipt book)
talle, *m.* figure
taller, *m.* studio, workshop
tallo, *m.* stem
tamaño, *m.* size
también, also, too
tamborilero, *m.* drummer
tampoco, not . . . either, nor . . . either; neither; **no . . . —,** nor . . . either
tan, so, as; such a; **— . . . como,** as . . . as
tanto, so much; as much; **en —,** while, meanwhile; **mientras —,** meanwhile
tantos, -as, as many; so many
tapia, *f.* (mud)wall
tapiz, *m.* tapestry
tardar, to delay, be long; **— en,** to be (long) in
tarde, *f.* afternoon, evening
tarde, late; **— o temprano,** sooner or later
Tartaria, a region of Asia and eastern Europe varying in extent at different periods
Tata-Coquena, *m.* Indian god, husband of Pacha Mama.
taza, *f.* cup
tazón, *m. aug. of* **taza,** large bowl, basin
teatro, *m.* theatre; stage
techo, *m.* ceiling; roof
techumbre, *f.* roof
tedio, *m.* tedium
telegráfico, -a, telegraph, telegraphic
telegrama, *m.* telegram
temblar (ie), to tremble
temer, to fear; dread
temible, to be feared
temor, *m.* fear
temperamento, *m.* temperament, character
tempestad, *f.* tempest, storm; **días de —,** stormy days
tempestuoso, -a, tempestuous, stormy
templo, *m.* temple
temprano, early; **tarde o —,** sooner or later
ten, *see* **tener**
tenazas, *f. pl.* pincers
tender (ie), to stretch; hold out, extend; tend; **—se,** to lie down
tendero, *m.* storekeeper
tendido, -a, stretched out; lying
tendremos, *see* **tener**
tener, to have, possess; **— que,** to have to; **¿qué tiene?,** what is the matter with him?; **— . . . años,** to be . . . years old; **— celos,** to be jealous; **— en cuenta,** to take into account; **— frío,** to be cold; **— ganas,** to feel like, be desirous; **— hambre,** to be hungry; **— la culpa,** to be to blame; **— miedo,** to be

afraid; — **los ojos azules,** to have blue eyes
tentar (ie), to tempt, try
tercer, -o, -a, third (*use* **tercer** *before a m. sing. noun*); **de tercera,** third-class
terminación, *f.* termination, completion
terminar, to finish, end; **al — la misa,** when mass was over
ternura, *f.* tenderness; **con —,** tenderly
terracota, *f.* terra cotta
Terranova, Newfoundland
terreno, *m.* land, ground
terrible, terrible, awful
terrorífico, -a, terrifying
tesoro, *m.* treasure, fortune
testigo, *m.* witness
tez, *f.* complexion
ti, you
tía, *f.* aunt
tibio, -a, warm, lukewarm
tic-tac, tick-tack
tiempo, *m.* time; weather; **a —,** on time, in time; **andando el —,** in the course of time; **buen —,** fair weather; **hace —,** for some time; **en un —,** formerly, once upon a time
tienda, *f.* store; camp, tent, cabin
tientes, *see* **tentar**
tierra, *f.* earth, land; region; native land
tigre, *m.* tiger
tiiiiii . . . rrrrrtch fiiiiii . . . , onomatopoetic description of the song of the blackbird
timbre, *m.* bell
tío, *m.* uncle; fellow, old fellow; "guy"
tipo, *m.* type
tirar, to throw; aim, shoot; draw; throw away
tiro, *m.* shot
to . . . , *contr. of* **todo,** all
tocar, to touch; play (a musical instrument); fall to one's share; sound, ring, toll (bells)
tocino, *m.* bacon
todavía, still, yet; **— no,** not yet
todo, -a, all, every, everything; **en todas partes,** everywhere; **— cuanto,** all that; **— el día,** the whole day; **—s,** everyone; **—s (los días),** every (day)
todo, all, everything; **con —,** nevertheless; **por —,** in all, all told; **sobre —,** especially
tolerancia, *f.* tolerance, indulgence
tomar, to take; drink; eat; buy (a ticket); **— a préstamo,** to borrow; **¡Toma!,** Well! Gracious!
tomate, *m.* tomato
tomatero, *m.* tomato-grower
tono, *m.* tone
tontería, *f.* foolishness, silly thing
tonto, -a, silly, foolish; **dejar —,** to stun, paralyze, to leave one dumbfounded
topográfico, -a, topographic
tordo, -a, black and white
tormento, *m.* torment
toro, *m.* bull; **plaza de —s,** bull ring
torre, *f.* tower
torrente, *m.* torrent
tostar, to toast, burn
trabajador, *m.* worker, laborer
trabajar, to work, toil
trabajo, *m.* work, toil, task
tradición, *f.* tradition; legend
traer, to bring; wear (clothes)
trágico, -a, tragic
traigo, *see* **traer**
traje, *m.* suit (of clothes); clothes; dress; **— de boda,** wedding gown
trajo, *see* **traer**

tranquilamente, peacefully, calmly
tranquilidad, *f.* tranquillity, peace of mind; **con —,** calmly
tranquilo, -a, tranquil, peaceful, calm
transformar, to transform, change
transmitir, to transmit
transparencia, *f.* transparency
tras, after; behind
trasatlántico, *m.* transatlantic steamer
tratable, friendly, affectionate
tratar, to treat, deal; try, attempt; **tratar de,** to try to; **—se de,** to be a question of
trato, *m.* treatment; dealing
través: a — de, across, through
travesía, *f.* crossing, voyage; road, way
trayendo, *see* **traer**
trece, thirteen
treinta, thirty
tren, *m.* train; **— correo,** mail train
tres, three
trescientos, -as, three hundred
trinchera, *f.* trench
trípode, *m.* tripod
triste, sad
tristeza, *f.* sadness
triunfar, to triumph
triunfo, *m.* triumph, victory
tromba, *f.* whirlwind
tronco, *m.* trunk (of a tree)
tropezar (ie), to stumble; **— con,** to run into (a person); to find, to fall upon (a thing)
trozo, *m.* piece, fragment; plot (of ground)
trueno, *m.* (peal of) thunder
tu, your
tú, you
tuerto, -a, one-eyed
tumba, *f.* tomb, grave
tunante, *m.* scoundrel, rascal
turbación, *f.* confusion; embarrassment
turbar, to disturb, spoil, mar, confuse, embarrass
turco, -a, Turkish
turno, *m.* turn
tuvo, *see* **tener**
tuyo, -a, yours, of yours

U

u, or (*used for* **o** *before words beginning with* **o-** *or* **ho-**)
últimamente, lately; finally
último, -a, last; **por —,** at last, in the end, finally
umbral, *m.* threshold
un, -a, a, an
únicamente, only
único, -a, only, sole
uniforme, *m.* uniform
unión, *f.* union; **en —,** together
unir, to unite, join
uno, one; (*before a masc. sing. noun* **un**); **el — al otro,** each other; one another; **unos cuantos,** some, a few
unos, unas, some, a few
urgente, urgent
urgentísimo, -a, *super. of* **urgente,** very urgent
urna, *f.* urn
usar, to use; wear
usted, —es, you
usurero, *m.* usurer, miser; money-lender
útil, useful, of use

V

vaca, *f.* cow
vacilar, to vacillate, hesitate, waver
vacío, -a, empty
vagabundo, -a, vagrant, roving, nomadic
vagabundo, *m.* tramp, vagabond, rover

vagón, *m.* car; (railroad) coach
Valencia, city in eastern Spain
valer, to be worth; to be good
valiente, valiant, brave, courageous
valor, *m.* valor, courage; **darse —,** to keep one's courage up
Valparaíso, principal port of Chile
valle, *m.* valley
vamos, *see* **ir**
vanidad, *f.* vanity
vano, -a, vain; empty; **en —,** in vain
vapor, *m.* vapor; steamer, ship
varios, -as, *pl.* various; several
vas, *see* **ir**
vascongado, -a, Basque
vascuence, Basque (language)
vaso, *m.* glass, tumbler
vaya, *see* **ir**
vé, *see* **ir**
vecino, -a, neighboring, nearby
vecino, *m.* neighbor; citizen; inhabitant
vegetación, *f.* vegetation
vegetal, vegetable; **vida —,** vegetation
veíamos, *see* **ver**
veinte, twenty
veinticinco, twenty-five
vejez, *f.* old age
vela, *f.* candle; sail
velar, to watch (for or over); keep watch; look after
velo, *m.* veil
velocidad, *f.* velocity, speed; **a toda —,** at full speed]
vencer, to vanquish, conquer, overcome, surpass
vendedor, *m.* vendor, seller, retailer
vender, to sell
vendré, *see* **venir**
veneno, *m.* venom, poison
venerar, to venerate
venga, *see* **venir**
vengar, to avenge, **—se,** to take revenge
vengue, *see* **vengar**
venir (ie, i), to come; **que viene,** next, coming
ventaja, *f.* advantage
ventana, *f.* window; **por la —,** out of the window
ventanilla, *f. dim. of* **ventana,** ticket window
ver, to see; look at; **¡a —!,** let's see!; **—se,** to find oneself (in a situation); **vamos a —,** let's see; **bien se ve,** it's easy to see
verano, *m.* summer
veras: de —, really, truly
verdad, *f.* truth; **a la —,** in truth; **de —,** really; **¿no es —?,** isn't it so?, aren't you?, etc.
verdadero, -a, true, real
verde, green
verdoso, -a, greenish
verdura, *f.* greens, vegetables
vergüenza, *f.* shame; decency; **el espíritu de menos —,** the most shameless individual
verificar, to perform, do; **—se,** to take place
verso, *m.* verse
verter (ie), to shed, spill, pour
vestido, *m.* dress
vestir (i), to dress; **mal vestido,** badly dressed
vete, *see* **irse**
vez, *f.* time; turn; **a la —,** at a time, at the same time; **a veces,** at times, sometimes; **a su —,** in his turn; **algunas veces,** sometimes; **cada — más,** more and more; **cada — que,** whenever; **de — en cuando,** from time to time; **en — de,** instead of; **muchas veces,** often; **otra —,** again;

raras veces, seldom; repetidas veces, time and again; tal —, perhaps; tantas veces, so often; una —, once, once upon a time; unas veces, sometimes
vía, *f.* track; — **férrea,** railroad track
viajar, to travel
viaje, *m.* trip, voyage; — **de vuelta,** return trip
viajero, *m.* traveler, passenger
vibrar, to vibrate
vicio, *m.* vice; bad habit
víctima, *f.* victim
Victoria, Victoria I, queen of England (1837–1901)
vida, *f.* life
viejo, -a, old; old man, old woman
viento, *m.* wind
viernes, *m.* Friday; **todos los —,** every Friday
vigoroso, -a, vigorous, strong
viniesen, *see* **venir**
vino, *see* **venir**
vino, *m.* wine
violencia, *f.* violence
violento, -a, violent; **sueño —,** bad dream, nightmare
violeta, violet
Virgen, *f.* Virgin; **por la —,** in the name of the Virgin
visión, *f.* vision
visita, *f.* visit; **de —,** visiting
visitante, *m. and f.* visitor
visitar, to visit, make a call
víspera, *f.* eve, day before
vista, *f.* sight; view
visto, *past part. of* **ver**
vistoso, -a, bright; attractive
viuda, *f.* widow
viudita, *f. dim. of* **viuda**
¡viva!, long live!, hurrah!
víveres, *m. pl.* provisions
vivienda, *f.* dwelling
viviente, living, alive
vivir, to live; dwell, reside
vivo, -a, lively, vivacious; intense, ardent; alive; — **de genio,** spirited; **los —s,** the living
vocecita, *f. dim. of* **voz**
volante, *m.* ruffle, flounce
volar (ue), to fly
voluntad, *f.* will; **de buena —,** good-natured, well disposed
volver (ue), to turn; return; — **a** *plus inf. repeats the action expressed by the infinitive;* again; **—se,** to turn, turn around
vosotros, -as, you
voto, *m.* vow
voy, *see* **ir**
voz, *f.* voice; shout; **en alta —,** aloud; in a loud voice
vuelta, *f.* return; **dar —s,** to turn, rotate; **ir de —,** to be on one's way back; **viaje de —,** return trip
vuelto, *past part. of* **volver**
vuestro, -a, your, yours, of yours

Y

y, and; **¿— la misa?,** how about the mass?
ya, already, to be sure, indeed, this time, now; — . . . —, now . . . now; — **ni,** no longer; — **no,** no longer; — **que,** seeing that; —**lo verá usted,** you'll see
yendo, *see* **ir**
yerba (hierba), *f.* grass, herb
yeso, *m.* gypsum; plaster cast
yo, I

Z

zamacueca, *f.* Indian dance
zapato, *m.* shoe
zorra, *f.* fox
Zurbarán, Francisco, Spanish painter (1598–1662)